POTS ET BACS

en toute saison

POTS ET BACS

en toute saison

Graham Strong

KÖNEMANN

À ma mère, Diana,
qui m'a appris que le jardinage est un plaisir
qui se partage et la passion
de toute une vie.

© 1998 : Merehurst Limited,
Ferry House, 51-57 Lacy Road, Putney, London SW15 1PR

Copyright © 1998 pour les textes : Merehurst Limited
Copyright © 1998 pour les photographies : Graham Strong

Copyright © 1999 pour l'édition française : Könemann Verlagsgesellschaft GmbH,
Bonner Straße 126, D-50968 Cologne

Traduction : Barthélémy de Lesseps pour Bookmaker
Réalisation : Bookmaker, Paris
Mise en pages : Quattro
Lecture-conseil : Valérie Garnaud D'Ersu, pour Bookmaker
Lecture : Pierre Mercan, Paris
Chef de Fabrication : Detlev Schaper
Impression et reliure : Sing Cheong Printing Co., Ltd.
Imprimé en Chine (Hong Kong)

ISBN 3-8290-1494-5
10 9 8 7 6 5 4 3 2 1

Sommaire

Introduction

Le jardin en pots offre un calendrier photographique intégral de compositions destinées à un véritable aménagement de plein air, dont les cycles se succèdent sans interruption tout au long de l'année. Relever un tel défi a été l'œuvre de quatre années d'expérience. Nous pensons qu'une telle approche, fondée sur la pratique, peut seule apporter au jardinier amateur les connaissances qu'il est en droit d'attendre pour réaliser ce projet : offrir un flot de couleurs toujours séduisant, 365 jours par an, en cultivant la même collection de bacs, de pots et de jardinières.

Vous découvrirez dans ce livre comment une terre cuite neuve prend avec l'âge une douce patine et quelles sont les argiles résistant au gel ou susceptibles de se fendre en hiver. Vous saurez quelles plantes semer, quelles potées se développent et embellissent d'une année sur l'autre, quelles plantes acheter à maturité, comment vous servir de ses massifs comme pépinières pour repiquer en pot, enfin quand sortir les plantes à l'abri pour créer des compositions flatteuses permanentes.

On ne trouvera que rarement dans ces pages un contenant solitaire, vasque ornant la surface nue d'un patio ou panier suspendu dans une embrasure. Au contraire, *Jardins en pots* se coule dans le rythme des saisons, comment créer des points d'attraction dans les espaces dallés, les cours, les allées de ciment ou les parterres.

UNE COLLECTION DE CONTENEURS

Pots, bacs, jardinières, urnes, jarres et paniers ne s'achètent pas un jour pour être oubliés le lendemain comme des articles de mode. Il faut se débrouiller avec ce que l'on a (et, bien sûr, enrichir la collection) ; aussi, plutôt que de présenter une centaine de récipients, nous avons préféré parier sur quelque vingt-six objets usuels et de charme qui devront jouer leur rôle au moins quatre fois par an. Car le rythme ne fléchit jamais. À côté des éternelles compositions printanières et estivales, les plantations d'automne emportent toujours plus de suffrages ; quant aux mois d'hiver, il n'est pas question de les éluder malgré un sol gelé et une nature où tout semble immobile. Les associations proposées ici ont toutes été mises à l'épreuve de la canicule, de la pluie torrentielle, du gel et de la neige, voire d'un oubli d'arrosage.

Nous n'avons pas non plus laissé un excès d'enthousiasme dissimuler les embûches prévisibles. Car, tôt ou tard, vous rencontrerez des obstacles que les conseils de jardinage donnés dans le texte (et page 140) sont destinés à réduire. Nous espérons que les novices en tireront tout particulièrement profit.

LE BON MOMENT

Vous observerez sans doute dans ce livre que les conteneurs sont parfois pleins à la période de pleine floraison. Si vous avez des incertitudes sur la hauteur que peut atteindre une plante à fleurs et sur son coloris, c'est là le moyen le plus sûr d'éviter les erreurs et, avec un peu de soin, la plante ne souffrira pas. Toutefois, une mise en pot plus précoce, au stade des boutons, prolongera la floraison et évitera le risque de blesser des tiges fragiles. Pour chaque composition, nous avons indiqué sur le calendrier sa période de plein épanouissement. Celle-ci connaîtra des variations selon les années et, bien sûr, en fonction du climat local. Même si les potées ne se présentent pas en permanence sous leur meilleur jour, elles seront toujours occupées, quelle que soit la saison.

CHOISIR LES PLANTES

Nous avons opéré une sélection éclectique de plantes annuelles, vivaces, grimpantes, alpines, de plantes à bulbes et d'arbustes, de légumes et de plantes aromatiques. Les plus familières et les plus simples côtoient des variétés plus rares ou plus raffinées. Toutes ont fait leurs preuves.

Qu'importe si vous ne trouvez pas les variétés conseillées. Des associations de remplacement sont le plus souvent proposées, et il existe de nombreuses plantes qui présenteront une hauteur et un coloris semblables. Il en ira de même des conteneurs. Leurs proportions (longueur, largeur ou diamètre et profondeur) sont plus importantes qu'un matériau ou un modèle précis.

Il n'est pas non plus essentiel de disposer d'un choix de plantes pléthorique. Ainsi, de nombreuses associations comportent-elles une même plante, notamment si celle-ci s'adapte facilement ou s'épanouit plusieurs saisons de suite.

Ce type de plante particulièrement méritante est suivie du symbole ♀ indiquant qu'elle offre une bonne résistance aux maladies et aux parasites, une grande stabilité de forme et qu'elle ne nécessite pas de soins particuliers, réunissant en somme le plus grand nombre de qualités.

PÉPINIÈRE DE SECOURS

La culture en pots est une passion envahissante. À mesure que son horizon s'élargit, le jardinier s'aperçoit qu'il ne trouve pas les bulbes ou les annuelles en boutons tant désirés. Vous est-il souvent arrivé de trouver la jacinthe 'Hollyhock' ou le *Rudbeckia* 'Becky Mixed', pour ne prendre que ces deux exemples ? La réponse est qu'il faut cultiver soi-même ces plantes. De même que les plus beaux massifs ont une réserve de sujets qui viennent les rajeunir et les embellir, les potées les plus réussies bénéficient d'une pépinière en pots où lis, tulipes, *crocus* d'automne, hybrides convoités de *pétunias*, de *phlox* et de pensées attendent leur entrée en scène.

Une douzaine d'arbustes à fleurs et de plantes herbacées servant d'écrin à la composition en pot peuvent valoriser considérablement l'ensemble. Un *hosta* volumineux, un genévrier à port étalé, un *leucothoé* 'Scarletta' et des euphorbes feront merveille.

LE MOMENT DE LA SÉPARATION

Entre autres avantages, la culture échelonnée donne l'occasion de garder en réserve des plantes clés pour les intégrer dans de nouvelles compositions, d'où un gain de temps et une économie. Mais il est probable que l'on se lassera d'une potée vite monotone, à laquelle on n'apportera que des changements saisonniers minimes, quelques primevères par-ci, deux ou trois *pétunias* par-là.

Grâce à cet ouvrage, on saura toujours à quoi s'en tenir d'une saison à l'autre, autrement dit quand une plante vaut la peine d'être gardée et quand il faut la remplacer. Les pensées, par exemple, peuvent se dissimuler dans un massif de feuillage et les hellébores ont sans doute un feuillage agréable, mais qu'on ne tiendra sans doute pas à garder toute l'année.

LA MISE EN PLACE

On trouvera à chaque page de ce livre une idée nouvelle : une mise en valeur flatteuse, une plante rare ou ordinaire mais très bien située, une composition originale ou classique, enfin une véritable mise en scène autour d'un point d'attraction. Et, à cet égard, on peut affirmer que la clé du succès des potées est la même que celle qui doit présider à l'ouverture d'un magasin : l'emplacement, encore l'emplacement et toujours l'emplacement. On disposera par exemple les tulipes sur un fond de feuillage pourpre, le potager ornemental sur un écran de maïs sucré et de haricots d'Espagne, les chrysanthèmes et le chou décoratif s'associeront à l'érable du Japon, les primevères se détacheront sur un pan de mur artistement décrépi... Aux pieds des pots et bacs, le sol offre des matériaux variés, graviers, galets, carreaux de terre cuite, bols remplis d'eau, petits pots d'argile, dallage à motifs, qu'accompagnent des plantes à fleurs et à feuillage. Planter un tel décor est un grand plaisir et l'on régalera ses visiteurs en disposant dans le jardin ces petites floralies. Ce livre ne fait en réalité qu'effleurer l'art du jardin en pots. Bien que les combinaisons soient infinies, une simple disposition des plantes au hasard a bien peu de chance d'être couronnée de succès. Que l'on soit attiré par des compositions colorées, audacieuses ou charmantes, que l'on préfère les plantes rares, potagères, éclatantes ou exotiques, on trouvera dans ces pages de quoi alimenter son inspiration.

NIVEAUX DE DIFFICULTÉ

Pour vous aider à choisir le décor le mieux adapté à votre jardin, nous avons classé les 104 compositions proposées comme suit :

- •   Très facile. L'idéal pour un jardin en pots de débutant.
- ••   Facile. Pour jardiniers plus expérimentés : une certaine organisation et des soins plus attentifs sont nécessaires.
- •••   Difficile. Pour jardiniers chevronnés qui recherchent l'originalité. Les efforts consentis seront récompensés.

La catégorie des programmes « difficiles » peut faire appel à des semis coordonnés de plusieurs variétés qui doivent s'épanouir en même temps, ou mettre l'habileté du jardinier au défi en plein cœur de l'hiver. Il est évidemment permis de ne pas tenir compte de ce classement. Après tout, certaines mains vertes sauront cultiver les asters comme la moutarde ou le cresson.

	PRINTEMPS	ÉTÉ	AUTOMNE	HIVER
Demi-fûts en chêne	••	•	••	•
Jardinière ovale	•	••	•	••
Poterie en terre crue	••	••	•	••
Pots droits décorés	••	••	••	•
Panier à pommes de terre	••	••	•	•••
Grès au sel	••	••	••	•
Petites coupes en terre cuite	•	••	••	•
Grand panier d'osier	••	••	•	••
Urne en terre cuite	••	•	••	•
Bassine de zinc	••	••	••	•
Baquets de bois	•	•••	••	•
Pots en terre cuite décorés	••	••	•••	•
Jardinière de bambou	••	••	••	•
Tonneau d'arrosage	••	••	••	•
Pot vernissé bleu	••	•	•	••
Corbeilles à motifs de vannerie	••	••	•	•
Bac en bois	•	••	••	•
Grand bac de terre cuite	••	•••	••	•
Panier plat en fil de fer	•	••	•••	••
Petit chariot	•	•	••	•
Coffre à jouets	••	••	••	••
Urne de ciment patiné	•••	••	••	•
Pots en céramique	•••	••	••	•
Panières	••	••	•••	•
Jardinière de fausse pierre	•	••	•	•
Vasque décorée	•••	•••	••	••

CE QU'IL VOUS FAUT

- ♣ 20 tulipes 'Golden Melody' (1)
- ♣ 10 tulipes 'Purissima' (2)
- ♣ 5 tanaisies (*Tanacetum parthenium* 'Aureum') (3)
- ♣ 6 myosotis nains (*Myosotis*) (4)
- ♣ 2 renoncules âcres (*Ranunculus acris* 'Flore Pleno') (5)
- ♣ Billes d'argile ou tessons de pot
- ♣ 120 litres de terreau universel

OU BIEN...

Pour une bordure de feuillage jaune, on peut introduire du *Milium effusum* 'Aureum', panaché de bugle rampant *Ajuga reptans* 'Atropurpurea' ♡. Les tulipes jaunes 'West Point' à fleurs de lis iront bien avec les blanches de mi-saison 'White Dream'.

POUR LE LONG TERME

Pincez les tanaisies pour qu'elles s'étoffent. En les laissant en place, ajoutez des lis asiatiques hybrides qui fleuriront en juin et juillet et des campanules tapissantes (*Campanula poscharskyana*) qui se mêleront aux tanaisies.

OU ENCORE...

Pour une palette différente avec les tulipes 'Purissima', voir page 86.

Demi-fûts en chêne

Les fûts qui ont contenu du whisky, du vin ou de la bière figurent parmi les conteneurs les plus intéressants à l'achat et ne paraissent que rarement déplacés dans un jardin. On les laissera se patiner tels quels ou on peindra les douves et les cercles en tons opposés. On prolongera leur durée de vie en les surélevant pour assurer une bonne circulation de l'air.

Hauteur 45 cm
Diamètre 65 cm
Poids 25 kg

Printemps

Un fût constitue presque un jardin à lui seul car il permet de cultiver des arbustes d'une bonne taille tels que le camélia ou le rhododendron, des vivaces comme l'euphorbe et l'hosta, des plantes à massif de printemps populaires comme les tulipes, l'érysimum et les pâquerettes à fleurs doubles, ou un peu de chaque.

L'EMPLACEMENT

Placez le baquet dans un endroit chaud et abrité près d'une allée fréquentée. Cette exposition renforcera l'effet de la potée, surtout sur un fond d'arbustes bien développés, qui la protégeront et lui serviront de faire-valoir. Les arbustes à feuillage coloré conviennent bien ici. Pour donner au fût une allure permanente, entourez la base de fraisiers sauvages et de myosotis.

Des tulipes élevées en pot parachèveront cette merveilleuse harmonie et l'on peut prélever les myosotis dans un massif. Plantez de l'arrière du tonneau vers le devant pour le confort des gestes. Terminez par le bord.

Retirez les tulipes dès qu'elles commencent à perdre leur pétales et mettes-les en jauge jusqu'au jaunissement du feuillage. Stockez les bulbes secs pour la plantation d'automne.

PÉPINIÈRE À BULBES

La plupart du temps, sur une douzaine de bulbes plantés, seuls neuf ou dix reprennent bien. En élevant les bulbes dans de petits pots de plastique et en les transplantant en boutons, on peut être assuré que toutes les plantes fleuriront exactement à l'endroit prévu.

UNE BORDURE DE FUSAIN

Le feuillage persistant d'*Euonymus fortunei* 'Emerald 'n' Gold' ♡ formera le décor de fond permanent d'un tonneau ; si cette bordure basse doit être vue de face, on ne plantera que les deux tiers de la circonférence (environ cinq plants). Le fusain, qui forme des bordures agréables et informelles (à moins de le tailler), encadrera la scène de son amphithéâtre de verdure.

Cette composition peut paraître audacieuse. Tout d'abord, la dominante jaune vif génère sa propre lumière, même par temps gris. Ensuite, si le fût est disposé de telle manière que les plus hautes plantes soient éclairées à contre-jour au moins une partie de la journée, on obtiendra le résultat spectaculaire présenté ici.

Une autre composition possible (voir photo à gauche) comprend des tulipes 'West Point' (les meilleures à fleurs de lis jaunes) surmontées d'un érysimum 'Cloth of Gold' sur un tapis de renoncules (*Ranunculus asiaticus* 'Accolade') ponctué de pensées jaunes. Cultivez l'érysimum de semis et plantez-le en automne avec les tulipes, puis apportez les renoncules et les pensées en avril. Après quoi, il n'y a plus qu'à se laisser aller dans ce bain d'or.

▷ *Tandis que la composition saisonnière se transforme, le décor de fusain demeure. Une idée forte pour garnir une potée tout au long de l'année.*

▷*Avec leur cœur jaune d'œuf, les tulipes 'Purissima' appelaient leurs consœurs 'Golden Melody' et des renoncules doubles, ainsi qu'une bordure de tanaisies jaunes rythmée de myosotis.*

JAN	FÉV	MARS	AVR	MAI	JUIN
JUIL	AOÛT	SEPT	OCT	NOV	DÉC

CE QU'IL VOUS FAUT

♣ 24 pois de senteur (*Lathyrus odoratus* race 'Galaxie')
♣ 15 baguettes droites ou courbes, déchets de taille d'arbre ou d'arbuste
♣ Panier suspendu en grillage, de 30 cm de diamètre, sans ses chaînettes
♣ Petite ficelle
♣ Billes d'argile ou tessons de pot
♣ 120 litres de terreau universel

OU BIEN...

Une autre composition odorante associera une clématite moins vigoureuse comme *C. florida* 'Sieboldii' sur le palissage avec un rosier anglais au centre (par exemple 'Graham Thomas' ♀) et un cosmos *C. atrosanguineus* 'Chocolat' dessous. Un ravissement !

POUR LE LONG TERME

À la plantation, semez en passant quelques graines de pois de senteur qui fleuriront plus tard et prolongeront la saison. Plus on coupera de fleurs, plus elles se développeront, il ne faut donc pas hésiter à remplir ses vases à profusion et à tailler tous les boutons de fleurs fanées.

Été

Les jardiniers qui réalisent des plantations dans des demi-fûts attendent toujours l'été avec une impatience particulière. Un contenant de cette taille permet en effet les projets jardiniers les plus fous ! Je rêvais depuis longtemps de planter un 'tipi' de pois de senteur en bac. Quand j'ai vu que ceux-ci y étaient plus beaux encore que ceux de mes massifs, je n'ai pu résister au plaisir d'associer aux pois de senteur quelques-unes de mes plantes aromatiques préférées, ainsi qu'un siège pour bénéficier de cette petite retraite parfumée.

DU SEMIS À LA PLANTATION

On choisira une variété de pois de senteur adaptée à la hauteur du tipi de branchages. En automne, semez trois graines dans un pot de 9 cm de diamètre qui hivernera sous châssis froid. Ces semis d'automne produiront des plants plus précoces et vigoureux que les semis de fin d'hiver ou de début de printemps. On peut aussi acheter des plants au printemps. Plantez les pois de senteur en avril dans le fût et pincez les jeunes pousses pour favoriser la ramification.

UN TIPI BIEN GARNI

Si la base de la plantation paraît un peu clairsemée en juillet ou en août, pourquoi ne pas disposer entre les tuteurs une sélection de plantes à feuillage odorant ? On ne pourra ainsi résister à l'envie de froisser les feuilles d'une verveine odorante ou d'une sauge écarlate, ou encore de l'entêtante immortelle *Helichrysum serotinum* au parfum de curry. Un pot-pourri de pétales et de feuilles prolongera le plaisir des sens pendant les jours de grisaille.

D'AUTRES IDÉES POUR L'ÉTÉ

Ce livre propose de nombreuses haltes pour qui souhaiterait souffler un moment et profiter de son jardin en pots jusqu'à ce que la dernière fleur en soit fanée. Au contraire, si l'on a hâte d'enchaîner

△ *À mi-hauteur du tipi de branchages a été suspendu un panier métallique accueillant un pot de* Nemesia denticula *'Confetti' rose et retombant.*

les compositions, voici un calendrier qui laissera le tonneau en pleine activité de la fin du printemps (ou du début de l'été) jusqu'à la fin de l'été, voire jusqu'en automne. Ce programme de replantation régulière n'en donnera que plus d'intérêt à votre fût.

ÉTOILES MONTANTES

Nul doute que les jardiniers sensibles à la mode trouveront l'ail d'ornement *Allium christophii* ♀ particulièrement digeste ; associé à un hosta à feuillage bleu tel que 'Krossa Regal' ♀ ou à l'incomparable cœur-de-Marie qu'est *Dicentra* 'Stuart Boothman' ♀, on aura atteint là l'excellence horticole d'un vrai connaisseur. Mais cette composition a aussi son côté pratique : certaines pensées prennent des allures d'échalas dès la fin juin et un tapis de feuillage dissimulera leurs tiges nues. Avec un peu de soin, on peut même les prélever d'un massif.

La meilleure façon de cultiver les ails d'ornement est de les planter individuellement dans des pots de 13 cm de diamètre en automne puis de les replanter dans le baquet à l'apparition des boutons. On dissimulera leur feuillage avachi grâce à *Hosta* 'Krossa Regal', au port remarquable et aux très longs épis floraux.

◁ *Des pensées haut perchées et un feuillage disgracieux d'ail d'ornement se dissimulent parmi les feuilles d'hosta et le décor permanent de fusain dont il a été question page 10.*

▷ *On se laissera aller au soleil dans un fauteuil de jardin pour jouir des couleurs et des parfums de ce havre de verdure.*

CE QU'IL VOUS FAUT

♣ 3 capucines (*Tropæolum* race Whirlybird ♀) (1)

♣ 1 brachycome (*Brachycome multifida*) (2)

♣ 1 scaévola (*Scævola æmula* 'Blue Fan') (3)

♣ 1 alkékenge (*Physalis alkekengi* var. *franchetii*) (4)

♣ 1 cordyline (*Cordyline australis* 'Torbay Dazzler') (5)

♣ 1 chrysanthème en pot bien développé (*Chrysanthemum* 'Sundora') (6)

♣ Billes d'argile ou tessons de pot

♣ 120 litres de terreau universel

OU BIEN...

Les capucines 'Alaska Mixed' ont un feuillage panaché de blanc. Si l'on a du goût pour le rose, on sera ravi par le brachycome 'Strawberry Mousse'.

POUR LE LONG TERME

Enlevez les fleurs fanées avant qu'elles ne montent en graine et traitez avec un insecticide de contact au moindre signe d'infestation par les pucerons. Disposez des chrysanthèmes élevés en pot entre les capucines pour combler les vides.

Automne

Les fleurs d'automne n'ont rien à envier aux feuillages colorés. On choisira des capucines non grimpantes pour le centre du fût, comme celles de la race Whirlybird aux fleurs dressées. Semées en pots fin avril, elles ont été installées fin septembre et ont fleuri jusqu'à la première forte gelée. Pour suivre l'allure, brachycomes et scaévolas fournissent un flot ininterrompu de fleurs bleues.

Si la tentation de l'opulence est trop forte, on peut couvrir le tonneau jusqu'à ce qu'il disparaisse presque complètement sous le tapis de végétation (ce sont les physalis qui marquent le bord).

Après la floraison, replantez les chrysanthèmes en massif et éventuellement les physalis, mais ces derniers, très prolifiques, envahiront le jardin plus vite encore que la menthe.

△ *À l'automne, les physalis laissent apparaître leur fruit dans une lanterne frêle et transparente.*

▷ *Des flots de couleurs encadrant le fût prolongeront les feux de l'été jusqu'à l'automne.*

Hiver

L'hiver est la période morte de l'année du jardinier et la potée devra faire un effort supplémentaire pour se défendre contre les frimas. La composition proposée fait appel à des plantes et à un matériel largement disponibles.

UNE COMPOSITION CHALEUREUSE

Pour évoquer la chaleur, on créera une composition végétale inspirée par le thème du feu : feuillage jaune pour les flammes, boutons, feuilles et baies rouges en guise de braises. Planté serré, l'ensemble se tiendra chaud et sera protégé du froid pénétrant. Variez les formes pour offrir une composition vivante : silhouettes coniques, arrondies, tapis, cascades... Le fût n'a pas changé de place et maintenant les petits conifères l'abritent et le mettent en valeur.

△ *En mars, les narcisses 'Tête à tête' n'ont jamais fait si bel effet qu'avec les fleurs de ce Skimmia japonica 'Rubella' et le feuillage d'un leucothoé 'Scarletta'.*

△ *Pour renforcer le thème du feu, ce tonneau avec des branches de pommier évoquant la croix celtique.*

◁ *Le fût d'hiver a été installé dans un endroit ensoleillé et abrité sur une margelle de brique, de pavés de grès et de galets. Évitez une exposition à l'est, où les bourgeons gelés pâtiraient du soleil matinal.*

PROGRAMME D'HIVER

JAN	FÉV	MARS	AVR	MAI	JUIN
JUIL	AOÛT	SEPT	OCT	NOV	DÉC

CE QU'IL VOUS FAUT

♣ 1 faux cyprès doré nain (*Chamæcyparis lawsoniana* 'Minima Aurea' ♀) (1)

♣ 1 *Chamæcyparis pisifera* 'Filifera Aurea' ♀ (2)

♣ 1 leucothoé 'Scarletta' (3)

♣ 1 lierre à petites feuilles panachées (*Hedera helix* 'Chicago') (4)

♣ 2 *Gaultheria procumbens* ♀ (5)

♣ 1 *Skimmia japonica* 'Rubella'(6)

♣ Billes d'argile ou tessons de pot

♣ 120 litres de terre de bruyère

OU BIEN...

Plantez un thuya (*Thuja orientalis* 'Aurea Nana' ♀ ou *T. occidentalis* 'Rheingold') en décor de fond.

POUR LE LONG TERME

Disposez quelques jonquilles cultivées en pot tels que le très populaire *Narcissus* 'Tête à tête', disponible à partir de février, ou tout autre petit narcisse à floraison précoce.

OU ENCORE...

Pour d'autres emplois de *Skimmia japonica*, voir page 108.

PROGRAMME DE PRINTEMPS

JAN	FÉV	MARS	AVR	MAI	JUIN
JUIL	AOÛT	SEPT	OCT	NOV	DÉC

CE QU'IL VOUS FAUT

- ♣ 15 narcisses (*Narcissus* 'Minnow') (1)
- ♣ 4 pensées 'Royal Delft' (2)
- ♣ Billes d'argile ou tessons de pot
- ♣ 14 litres de terreau universel
- ♣ De la mousse

POUR LE LONG TERME

Arrachez les narcisses à mesure que leur floraison s'essouffle, divisez les touffes et replantez les bulbes en massif où ils poursuivront leur croissance. Des œillets de poète (*Dianthus barbatus*) cultivés en pot prendront leur place.

PROGRAMME D'ÉTÉ

JAN	FÉV	MARS	AVR	MAI	JUIN
JUIL	AOÛT	SEPT	OCT	NOV	DÉC

CE QU'IL VOUS FAUT

- ♣ 14 alternantheras à feuillage rouge (1)
- ♣ 5 pensées 'Velour Blue' (2) ou autres
- ♣ 6 tournesols nains (*Helianthus annuus* 'Big Smile') (3)
- ♣ Billes d'argile ou tessons de pot
- ♣ 120 litres de terreau universel

OU BIEN...

La joubarbe rouge (*Sempervivum*) formera également une bordure réussie. On peut remplacer les tournesols par le *Rudbeckia hirta* 'Toto'.

OU ENCORE...

Voir page 110 une autre variété remarquable de tournesol.

Jardinière ovale

Il est toujours intéressant d'investir dans des pots de terre cuite de qualité artisanale. Cette jardinière ovale, intermédiaire entre pot et auge, a belle allure avec son décor appliqué.

Hauteur 23 cm
Largeur 23 cm
Longueur 43 cm
Poids 11 kg

Printemps

On ne prend pas assez garde à adapter la taille des plantations à celle du contenant. Un grand narcisse 'King Alfred' serait par exemple d'un effet catastrophique dans cette potée de printemps, et les cinq compositions proposées ici respectent ce principe.

Les petites variétés de narcisses rencontrent un grand succès, ce qui n'a rien d'étonnant car chaque bulbe produit plusieurs tiges florifères, parfois parfumées, à une période où les plus grandes fleurs commencent à faiblir. Les narcisses 'Minnow', très prolifiques, ont donné cette profusion de tiges à partir de quinze bulbes seulement. Les pensées de la bordure rehaussent le jaune des narcisses. Plantez ces deux fleurs en automne.

△ *La simplicité sied à cette composition de printemps. Jouez avec la couleur pour créer une unité.*

Eté

Il n'est pas nécessaire de remplir un pot de style ancien de plantes démodées. Cette sélection estivale de nouvelles variétés cultivées convient également aux conteneurs traditionnels tels que cette jardinière ovale et démontre le savoir-faire des pépiniéristes et des horticulteurs actuels.

RACINES EN BALLES DE FUSIL

Pour garnir au bord d'une potée des espaces trop réduits pour recevoir les racines d'une plante de massif, cultivez les semis dans des caissettes en plastique dont les alvéoles donnent aux racines et à la motte une forme en balle de fusil. Pour la potée d'été, l'alternanthera rouge a fait l'objet de recherches assidues. Avec les pensées, il formera une bordure vive qui durera tout l'été. Semez les tournesols en pots individuels de 9 cm de diamètre et transplantez-les dans la potée à l'apparition des boutons verts.

◁ *L'alternanthera, que l'on associe plutôt à la mosaïculture, est ici employé en potée, bordant le pied de pensées et de tournesols.*

▷ *Des tournesols miniatures, ici Helianthus annus 'Big Smile', ne prennent qu'une petite centaine de jours pour passer de la graine à la fleur. Ceux-ci ont été semés en avril et photographiés à la fin de juillet.*

DERNIERS FEUX DE L'ÉTÉ

Si leur mariage paraît incongru, les reines-marguerites naines et le coléus sont en réalité faits l'un pour l'autre. Achetez la reine-marguerite en plant dès mai et juin pour la pleine terre ou en début de floraison à partir de la mi-été. Cultivés de semis, les plants, même bien développés, peuvent être sujets au dessèchement. En retardant le semis jusqu'en avril, où les risques de froid et d'humidité diminuent, les plants résistent mieux à cette maladie. La reine-marguerite 'Carpet Ball Mixed' a été cultivée de semis.

On peut également semer le coléus, tel que ce 'Dragon Sunset and Volcano Mixed', mais plus tôt, en février ou mars et sous mini-serre chauffée. Les variétés cataloguées provenant de boutures ont souvent des feuillages et des coloris plus spectaculaires. Réservez au coléus un endroit chaud et abrité et, à l'intérieur, une fenêtre ensoleillée. N'oubliez pas de pincer les fleurs pour garder toute sa beauté au feuillage.

◁ *Reines-marguerites et coléus enlacés semblent faits l'un pour l'autre en cette fin d'été.*

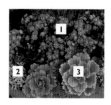
Automne

Certaines potées d'automne demandent que l'on prévoie bien à l'avance les semis, la plantation des bulbes et tous les préparatifs de la grande première. D'autres réclament moins d'attentions mais sont plus coûteuses. C'est le cas de cette composition : on achète les sujets, on les apporte chez soi et, en dix minutes, le tour est joué.

En travaillant de l'arrière vers le devant pour éviter que la terre ne se répande sur les plantations du premier plan, commencez par les asters. Puis démêlez délicatement les racines des fusains pour qu'elles trouvent leur place et soient également réparties dans la potée. Ajoutez enfin les deux choux roses. Enterrez les racines en laissant la rosace de feuilles dépasser le bord du pot et inclinez les choux vers l'avant pour qu'ils se montrent de face. Après avoir complété avec du terreau, dégagez au brumisateur ce qui se serait répandu sur les plantes. Placez la potée auprès d'un érable ou d'une épine-vinette et vous profiterez de l'automne dans tout son éclat.

▷ *Inclinez légèrement vers l'avant les choux décoratifs pour qu'ils émergent des reines-marguerites.*

Hiver

Une terre cuite de fabrication artisanale et bien drainée telle que celle-ci peut rester au-dehors toute l'année, hors période de gel prolongée, aussi pourquoi ne pas la garnir de feuillages persistants contrastés ?

Avant de commencer, déterminez l'angle sous lequel la potée sera vue. Contre un mur, par exemple, les bulbes nains doivent se trouver devant les arbustes qui les dominent. Pour changer, la jardinière étant vue ici par la « proue », la composition devra accentuer l'effet de masse colorée plutôt que les lignes.

Lorsque l'hiver dénude les jardins, c'est alors que l'on peut apprécier un décor où ce sont les éléments essentiels, matières, formes, couleurs, qui s'associent. D'ordinaire, le cryptomeria et la bruyère d'hiver aux fines aiguilles hérissées contrastent avec les feuilles panachées du fusain et les épaisses nervures du *Tellima*. Dans cette jardinière, ces oppositions se fondent grâce au port arrondi des plantes présentes. Le jeu des couleurs, jaune-vert du fusain, brun-rouge et bronze des autres feuillages, offre un cadre parfait pour les variétés d'*Iris reticulata* ♀ les plus hâtives.

◁ *Dès la fin de l'été, on recherchera dans les jardineries ces asters chimiquement rendus nains.*

À mesure que la température descend, les réserves des arbustes d'hiver transforment les amidons en huiles, offrant des coloris variés : des rouges profonds, des bruns aux tons chocolat, des verts bronze, parfois une note de rose. Lorsque l'air se réchauffe, les feuilles commencent à reverdir. Ces plantes forment d'heureuses associations avec les feuillages jaunes et gris, aussi pourquoi ne pas intégrer aux compositions hivernales *Chamæcyparis thyoides* 'Ericoides' ♀, *Leucothoe walteri* 'Rainbow', *Microbiota decussata* et *Erica carnea* 'Vivellii' en même temps que les deux espèces montrées ici. La bruyère d'hiver est presque indispensable ; 'Kramer's Rote' portera des fleurs précoces en très longues grappes. On peut se procurer les iris en bulbes secs dès octobre. Plantez trois bulbes par pot de 9 cm de diamètre et disposez-les autour de la bruyère en février. On peut aussi planter les bulbes dans la potée en automne, ou encore les acheter en fleurs au début du printemps.

◁ *La réussite de cette potée tient à l'association de feuillages persistants très colorés, de bruyère d'hiver et de plantes à bulbes.*

◁ *Garnissez bien vos potées d'hiver en plantant serré, car les plantes ne se développeront guère.*

PROGRAMME D'HIVER

JAN	FÉV	MARS	AVR	MAI	JUIN
JUIL	AOÛT	SEPT	OCT	NOV	DÉC

CE QU'IL VOUS FAUT

- ♣ 1 *Cryptomeria japonica* 'Elegans Compacta' ♀ (1)
- ♣ 1 bruyère à floraison hivernale (*Erica* x *darleyensis* 'Kramer's Rote' ♀) (2)
- ♣ 1 fusain *Euonymus fortunei* 'Emerald 'n' Gold' ♀ (3)
- ♣ 1 *Tellima grandiflora* 'Purpurea'(4)
- ♣ 10 iris nains 'Harmony'(5)
- ♣ Billes d'argile ou tessons de pot
- ♣ 14 litres de terreau universel

OU BIEN...

Iris reticulata 'J. S. Dijt' est violet, 'Cantab' est bleu pâle et plus hâtif, *Iris danfordiae* est jaune.

POUR LE LONG TERME

Plantez les iris au soleil dans une terre bien drainée, mais il y a peu de chance qu'ils gagnent du terrain. Toutefois, leur parfum de violette compensera cet inconvénient. On les remplacera par des *Anemone blanda* ♀ élevées en pot.

PROGRAMME DE PRINTEMPS

JAN	FÉV	MARS	AVR	MAI	JUIN
JUIL	AOÛT	SEPT	OCT	NOV	DÉC

CE QU'IL VOUS FAUT

- ♣ 10 jacinthes *Hyacinthus orientalis* 'Gipsy Queen' ♈ (1)
- ♣ 8 primevères (*Primula*) rose pêche (2)
- ♣ Billes d'argile ou tessons de pot
- ♣ 20 litres de terreau universel

OU BIEN...

Des narcisses rose saumon peuvent remplacer ou accompagner les jacinthes. *Narcissus* 'Petit Four' est une merveille avec ses trompettes rose-abricot.

PROGRAMME D'ÉTÉ

JAN	FÉV	MARS	AVR	MAI	JUIN
JUIL	AOÛT	SEPT	OCT	NOV	DÉC

CE QU'IL VOUS FAUT

- ♣ 2 sceaux-de-Salomon panachés (*Polygonatum hybridum* 'Striatum') (1)
- ♣ 2 bugles rampants (*Ajuga reptans* 'Atropurpurea' ♈) (2)
- ♣ 1 reine-des-prés panachée (*Filipendula ulmaria*) (3)
- ♣ 1 hosta 'Ground Master' (4)
- ♣ 1 aspérule odorante (*Galium odoratum*, syn. *Asperula odorata*) (5)
- ♣ Billes d'argile ou tessons de pot
- ♣ 20 litres de terreau universel

OU BIEN...

Essayer des reines-des-prés à feuilles jaunes et des sceaux-de-Salomon à feuilles blanches veinées.

Poterie en terre crue

Cette poterie de Thaïlande offre des tons bruns de terre crue qui conviennent à des compositions informelles ; elle résiste également au gel. Pour disposer une collection de formes et de dimensions variées, il faut au moins trois éléments.

VASE	POT	COUPE
Hauteur 30 cm	Hauteur 15 cm	Hauteur 25 cm
Diamètre 33 cm	Diamètre 23 cm	Diamètre 40 cm
Poids 10 kg	Poids 2 kg	Poids 9 kg

Printemps

Si l'on veut relever un défi, on peut choisir des couleurs « difficiles » sur les catalogues des bulbes d'automne. S'il est déjà assez ardu de décrire la couleur des jacinthes 'Gypsy Queen', il l'est encore plus de leur trouver des partenaires, mais ces primevères rose pêche sont une réussite. La coupe aux décors clairs convient parfaitement à ce projet. Des narcisses à corolle jaune et calice orange forment un excellent arrière-plan.

TONS DE PÊCHE

Ce type de primevère à grandes fleurs n'est pas facile à trouver. Ici, les sujets ont été prélevés dans un massif, divisés et replantés après la floraison. Un mélange de grainetier bon marché (excluant les fleurs géantes) offrira la meilleure sélection de semences. Plantez en pot et en massif en automne.

△ *Des associations audacieuses de jacinthes et de primevères offrent des potées de printemps éclatantes.*

Été

Comme antidote à ces façades dissimulant leur maçonnerie sous des avalanches de pétunias et d'impatiens, pourquoi ne pas créer une sereine oasis de feuillages et de fleurs bleues et blanches ? Sa fraîcheur sera presque palpable...

UNE FOISON DE FEUILLAGES

Des potées de plantes vivaces herbacées donneront des mois de plaisir, même si leurs feuillages sont à leur apogée dans la première moitié de l'été. On peut aussi choisir des plantes à fleurs au feuillage intéressant.

On peut se procurer toutes les variétés de ce programme estival aux tailles montrées ci-contre, c'est pourquoi cette composition conviendra même aux jardiniers les plus impatients. Les sceaux-de-Salomon formeront un étage supérieur séduisant dans la coupe, au-dessus des bugles, des reines-des-prés, de l'hosta et de l'aspérule.

▷ *Un fagot de bois en lisière de sous-bois constitue le cadre idéal pour cette collection estivale de feuillages décoratifs.*

bouleaux argentés rencontrent toujours un grand succès, mais on peut aussi bien réaliser une potée automnale avec des crocus d'automne et des graminées. L'effet en est assuré et rien n'est plus simple à aménager.

DES GRAMINÉES

Sélectionnez en jardinerie cinq graminées parmi vos préférées en recherchant une unité de ton, de taille et de type de culture. *Carex hachijoensis* 'Evergold' ♀ est taillé sur mesure pour déborder de la coupe, tandis que la molinie violette panachée formera un écran de ses épis dressés. Choisissez six crocus d'automne qui auront commencé à pointer chez le grainetier. Installez-les au milieu des graminées et attendez tranquillement qu'ils fleurissent.

◁ *Les fuchsias et les reines-marguerites sont naturellement tardifs, contrairement aux ageratums, mais il faudra les semer en avril - un peu plus tard que d'habitude - pour qu'ils s'épanouissent en même temps que les autres fleurs.*

PROGRAMME D'AUTOMNE

JAN	FÉV	MARS	AVR	MAI	JUIN
JUIL	AOÛT	SEPT	OCT	NOV	DÉC

CE QU'IL VOUS FAUT

♣ 6 crocus d'automne (*Colchicum* 'Lilac Wonder' ou approchant) (1)
♣ 1 carex (*Carex hachijoensis* 'Evergold' ♀) (2)
♣ 1 molinie violette panachée (*Molinia cærulea* 'Variegata' ♀) (3)
♣ 1 fétuque à feuillage vert (*Festuca gautieri*) (4)
♣ 1 fétuque à feuillage bleu (*F. glauca*) (5)
♣ 1 *Uncinia rubra* (6)
♣ Billes d'argile ou tessons de pot
♣ 120 litres de terreau universel

POUR LE LONG TERME

Repiquez les crocus en massif. Laissez les graminées se dénuder ; elles prendront un air fantomatique sous la gelée.

JOUER LA COULEUR

Voici une composition florale très vive qui ne dégénérera pas en cacophonie si l'on sait en restreindre la palette. Inutile ici de faire appel au rare ou au luxueux pour réussir. Pour la fin de l'été, un fuchsia 'Lady Thumb' ♀ et un ageratum apporteront une note pastel tandis qu'une reine-marguerite naine cherchera à prendre la première place.

On pourra déployer le même thème sur deux autres potées avec une lobélie tapissante bleu clair et un *Diascia* rose, un héliotrope (*Heliotropum arborescens* 'Chatsworth' ♀) pour le parfum, un hélichrysum (*Helichrysum petiolare* 'Goring Silver') pour le feuillage et peut-être un pétunia rose pâle pour la note fleurie.

Automne

Les crocus de printemps à grandes fleurs se dressant en touffes serrées dans l'herbe autour de

△ *Une vibrante association de colchiques et de graminées compose un type de potée très en vogue.*

Hiver

Si le jardin bénéficie d'une exposition chaude et abritée, on peut alors y cultiver le plus beau des hellébores. Son feuillage est bleu-vert veiné, ses tiges, ses pétioles et ses boutons sont rougeâtres, et les fleurs en coupelle donnent de gros bouquets d'étamines jaunes. Cet hellébore, vendu sous le nom d'*Helleborus lividus* ✿ hybride, est en fait très proche d'*H. lividus*, un peu plus petit et originaire de Palma de Majorque. Cette plante a survécu deux ans en plein air en montrant à peine ces taches qui affectent les feuilles de ces espèces. Comment tirer le meilleur parti de cette merveille ?

UNE COMPOSITION ÉTAGÉE

Pour obtenir une composition vraiment dense, il faut étager les plantations dans la coupe. L'hellébore formera l'étage supérieur avec la bruyère d'hiver, le fusain panaché perçant au travers. Au-dessous, la bordure est adoucie par la saxifrage, une plante d'intérieur familière.

UN ARCHIPEL DE COULEURS

Si vous avez prévu une couleur ou une plante dominante dans la potée, l'ensemble va vite se fondre. Plantez le petit pot avec une seule espèce, telle que le leucothoé à feuillage violacé au premier plan, et disposez-le de manière qu'il se mêle aux bruyères pourpres de la coupe. Le vase contient aussi des bruyères et le pernettya à baies rouges. Pour éclairer la composition, ajoutez des feuillages persistants éclatants qui contrasteront avec la palette des rouges et des violets.

Les potées ont été surélevées sur des bûches calées par du gravier, comme des îlots surgissant d'une mer houleuse. Ce décor offre ses chaudes lueurs pendant les mauvais jours.

△ *L'hellébore forme une véritable frondaison, donnant hauteur et caractère à cette coupe.*

▷ *Disposez les poteries en triangle, le vase à l'arrière-plan, et laissez les plantes s'entremêler.*

▷▷ *On ne laissera pas perdre les graines d'hellébore. En juin, récoltez les follicules mûrs avant qu'ils ne répandent leurs graines. Semez aussitôt en caissette et faites hiverner sous chassis froid. L'année suivante, tous pourront profiter de la pépinière.*

PROGRAMME D'HIVER

JAN	FÉV	MARS	AVR	MAI	JUIN
JUIL	AOÛT	SEPT	OCT	NOV	DÉC

CE QU'IL VOUS FAUT

- ♣ 1 hellébore (*Helleborus lividus* ✿ hybride) (1)
- ♣ 3 bruyères à floraison hivernale (*Erica* x *darleyensis* 'Kramer's Rote' ✿) (2)
- ♣ 1 fusain jaune (*Euonymus* 'Blondy') (3)
- ♣ 1 saxifrage (*Saxifraga stolonifera* ✿) (4)
- ♣ 1 leucothoé 'Scarletta' (5)
- ♣ 1 *Erica* x *darleyensis* 'Arthur Johnson' ✿ (6)
- ♣ 1 pernettya femelle à baies rouges (*Pernettya mucronata* ✿) (7)
- ♣ 1 *Leucothoe walteri* 'Rainbow' (8)
- ♣ 5 *Crocus tommasinianus* ✿ (9)
- ♣ Billes d'argile ou tessons de pot
- ♣ 45 litres de terre de bruyère

OU BIEN...

Helleborus x *sternii* est proche de *H. lividus* et plus rustique.

POUR LE LONG TERME

Ajoutez des pots de bulbes nains quand ils sont en fleurs. Lorsque la saison des bruyères d'hiver s'achève, enlevez les vieilles fleurs et replantez en massif en intercalant les bulbes. Pour obtenir une deuxième récolte de baies, plantez toujours un pernettya femelle auprès d'un mâle.

CE QU'IL VOUS FAUT

- ♣ 20 tulipes 'Prinses Irene' ♀ (1)
- ♣ 9-12 erysimums orange et jaune (*Erysimum* x *allionii* ♀) (2)
- ♣ 5 myosotis bleus nains (3)
- ♣ Billes d'argile ou tessons de pot
- ♣ 36 litres de terreau pour le grand pot et 10 litres pour le petit

OU BIEN...

Les tulipes orange doré 'Generaal De Wet', au parfum délicieux, sont également dignes d'attention.

Pots droits décorés

Ces charmants pots de terre cuite italiens décorés d'angelots sont à bord droit, ce qui leur permet de recevoir plus de terre que les modèles évasés. D'un prix tout à fait raisonnable, ils peuvent cependant être gélifs, aussi doit-on les protéger en les enveloppant ou en les rangeant à l'intérieur pendant les gelées.

PETIT POT
Hauteur 25 cm
Diamètre 25 cm
Poids 5 kg

GRAND POT
Hauteur 40 cm
Diamètre 38 cm
Poids 28 kg

Printemps

La réalisation d'une composition de printemps spectaculaire sera plus facile si on laisse les tulipes décider de leur voisinage (comme on le verra, les pensées ont le même caractère). La tulipe 'Prinses Irene' mérite tous les éloges avec ses feuilles brillantes bleu-vert et ses pétales flammés.

Plantez les bulbes en octobre ou en novembre, par groupes de trois ou quatre dans un pot de 13 cm de diamètre, puis repiquez-les dans le grand pot droit en avril avec les erysimums cultivés en godet. Ajoutez les myosotis nains prélevés d'un massif et d'autres plantes de soleil telles que l'origan (*Origanum vulgare* 'Aureum' ♀) et *Choisya ternata* 'Sundance' ♀ tout autour.

SEMIS D'AUTOMNE

Ces erysimums sont plus rustiques et fleurissent plus tardivement et plus librement que les autres types de giroflées. On les trouve rarement en jardinerie à la fin de l'été, aussi vaudra-t-il mieux les semer soi-même.

△ *Sceaux-de-Salomon, méconopsis et myosotis peuvent être transplantés d'un massif pour une autre potée de printemps.*

PATINER LA TERRE CUITE

La terre cuite neuve a souvent un ton rouge un peu dur, mais elle se patinera vite si on la passe au yaourt. Un champignon à points noirs apparaît tout d'abord, suivi par une moisissure verte aux endroits où l'argile a conservé l'humidité, enfin des dépôts de calcaire se forment. Le grand pot droit visible en haut de cette page a été traité de cette manière six mois avant d'être photographié. Pour adoucir encore l'aspect de la terre cuite, on peut la brosser avec un lait de chaux.

▷ *Mariage idéal que celui des tulipes 'Prinses Irene' et des giroflées orange et jaune.*

▽ *Cachés entre les terres cuites, des pots de tulipes 'Union Jack' apportent toujours plus de couleur et se dressent entre les feuilles du choisya.*

PROGRAMME D'ÉTÉ

JAN	FÉV	MARS	AVR	MAI	JUIN
JUIL	AOÛT	SEPT	OCT	NOV	DÉC

CE QU'IL VOUS FAUT

- ♣ 3 pensées 'Jolly Joker' ♀ (1)
- ♣ 2 choux frisés décoratifs 'Red Chidori' (2)
- ♣ 2 calcéolaires (*Calceolaria integrifolia* 'Sunshine') (3)
- ♣ 2 capucines (*Tropaeolum* 'Golden Emperor') (4)
- ♣ Billes d'argile ou tessons de pot
- ♣ 36 litres de terreau universel

OU BIEN...

On peut remplacer la calcéolaire par l'œillet d'Inde *Tagetes* 'Yellow Jacket et les capucines par l'immortelle *Helichrysum petiolare* 'Dargan Hill Monarch'.

Été

Toutes les plantes qui fleurissent du printemps à l'été, telles que l'erysimum, sont doublement bienvenues parce qu'elles comblent les vides jusqu'à l'entrée en scène des annuelles et des plantes de massif.

L'ANNÉE DURANT

Pour maintenir une potée sur la brèche, il faut l'alimenter sans répit au fur et à mesure que les plantes meurent ; c'est ainsi que nos pots italiens ont déployé leurs couleurs depuis la floraison des tulipes jusqu'aux froids de l'automne.

Fin mai, ramassez les pétales de tulipes et jetez-les, car ils peuvent répandre une virose. Puis déterrez les bulbes avec leurs feuilles et laissez-les jaunir en jauge dans le jardin. Après quoi, les bulbes seront mis à sécher pour la plantation d'automne, mais vous pouvez préférer les replanter aussitôt en pleine terre dans un endroit ensoleillé. Entretemps, vous aurez ajouté au grand pot quelques poignées de terre et de compost frais et planté des pensées 'Jolly Joker'. Trois semaines après, il est temps de déterrer les erysimums et les myosotis.

HARMONIE EN JAUNE ET POURPRE

La phase trois du programme consiste à planter des choux frisés d'ornement 'Red Chidori', colorés en été et magnifiques en automne. Vous en trouverez peut-être dès le début du mois de juin mais il est plus prudent de les cultiver vous-même. Si vous souhaitez obtenir des pommes vraiment impressionnantes, et qui par la même occasion, résisteront mieux au froid, plantez tôt. Ici, elles ont été semées à l'intérieur le 3 mars.

Le jaune se marie merveilleusement au pourpre, c'est pourquoi ici les calcéolaires et des capucines jaunes cultivées sur semis ont été associées.

Après avoir enrichi une nouvelle fois la terre, nous avons repiqué serré dans le grand pot et, en une semaine, les plantes enchevêtrées formaient une tapisserie colorée. Au premier plan, une potée de *Nemesia* 'KLM' se mêlera à la cascade des pensées au moment de la floraison.

△ *Association réussie de fleurs jaunes et orange se dressant parmi les pommes violettes des choux décoratifs. Les pétales des pensées assurent une transition colorée.*

◁ *Pleines d'allant, les pensées 'Jolly Joker' prennent le relais des tulipes et continuent à fleurir jusqu'à la fin de l'été.*

◁ Quel que soit le temps, les choux 'Red Chidori' ont toujours bonne mine.

▷ Cherchez les capsules vertes qui se cachent dans le feuillage des pensées et des capucines.

FLEURS FANÉES

Certaines espèces fleuriront jusqu'aux premiers froids tant qu'on les arrosera. D'autres demandent plus de soin, telles les pensées, dont il faut couper les fleurs fanées au fur et à mesure, sans attendre qu'apparaissent dans le feuillage les capsules vertes en crochet ; étêtez dès que les pétales commencent à flétrir. Les capucines peuvent aussi paraître négligées si l'on n'enlève pas les feuilles jaunissantes ou les fleurs affaissées.

Fin août, soutenu par les œillets d'Inde en fleur, le grand pot avait encore belle allure, comme on peut le constater ci-dessus à droite.

EN TOUTE SIMPLICITÉ

Avec un choix de plantes pour potées et jardinières à donner le tournis, il est tentant d'en abuser, alors que ce sont souvent les idées les plus simples qui offrent les plus grandes satisfactions. Ainsi, les lis se développent très bien en pot, même les plus grandes variétés ; pour qu'ils s'y établissent, il suffit de garder leur pied à l'ombre par un couvre-sol qui apportera une touche de couleur complémentaire.

Ce type de poterie droite convient parfaitement aux lis, car elle a la profondeur qui permet aux longues tiges de s'enraciner et un poids qui les stabilise par grand vent. Nous avons planté en triangle six bulbes de 'Royal Queen' à mi-profondeur du grand pot en mars. Puis nous avons intercalé trois plants d'herbe à chats (*Nepeta* 'Six Hill Giants').

Après la floraison, l'ensemble a été replanté en massif pour reprendre l'année suivante une composition toujours plus belle.

▷ En plaçant la potée de lis près d'une entrée, on sera accueilli en juillet et août par leur parfum capiteux.

Automne

Bien qu'il paraisse dommage de masquer par des plantes tapissantes une terre cuite décorée, le fait de ne la dissimuler qu'à moitié pouvait éveiller la curiosité. C'est une expérience nouvelle que d'associer les zinnias, les capucines et camomilles doubles. Ces trois plantes sont restées vigoureuses jusqu'en plein automne, malgré un fâcheux week-end sans arrosage. Depuis, les fleurs doubles durent des semaines, sans se faner et sans monter en graine. Incidemment, la bourrache bleue et l'asaret avec ses feuilles en forme de cœur, également présents dans le grand pot, s'étaient reproduits spontanément.

FLEURS DOUBLES

Il est surprenant que l'on ne cultive pas plus souvent en pot la camomille double, associée à d'autres herbes aromatiques et à un pélargonium odorant. Le feuillage de cette plante hâtive répand un parfum délicieux. Grâce aux techniques de multiplication intensive, on trouve maintenant sans difficulté les capucines doubles et ces fleurs merveilleuses se cultivent beaucoup plus facilement que les lobélies doubles tant vantées. Repiquez des boutures de capucines et, au cas où elles ne reprendraient pas, distribuez-en à votre entourage pour vous prémunir si vous perdez les vôtres. Elles doivent hiverner en serre.

△ Si l'on n'a pas réussi avec d'autres zinnias, essayer 'Starbright Mixed', qu'il ne faut pas semer trop tôt : mai conviendra. Il fleurit bien en automne, même par temps maussade.

Hiver

Par son raffinement, sa rusticité et sa longue floraison, l'hellébore doit être la vedette de l'hiver. Même en avril, les variétés gris ardoise et violettes restent colorées. Lorsqu'elles proviennent de semis, on peut constater de grandes variations dans la couleur des fleurs fraîches ou passées, mais presque toutes valent d'être cultivées.

PRÈS DES YEUX

Nous avons utilisé des tiges d'osier à la fois pour soutenir les tiges et pour surélever la potée afin que les fleurs soient plus près des regards. Au bord du pot, nous avons planté d'opulentes primevères exhalant leur doux parfum. Si le feuillage des hellébores reste présentable, il n'est pas nécessaire de le tailler, bien que cela puisse faciliter les soins.

△ Redressez un peu les tiges d'hellébores pour voir leurs fleurs s'épanouir de face en hiver.

▷ Achetez les roses de Noël en fleur pour être sûr du résultat. La gamme de variétés est alléchante, comme en témoignent ces fleurs coupées de la race 'Ashwood Hybrid'.

JAN	FÉV	MARS	AVR	MAI	JUIN
JUIL	AOÛT	SEPT	OCT	NOV	DÉC

CE QU'IL VOUS FAUT

- ♣ 1 euphorbe des bois (*Euphorbia amygdaloides* 'Rubra') (1)
- ♣ 1 bugle rampant (*Ajuga reptans* 'Catlin's Giant' ♛) (2)
- ♣ 2 renoncules rouges de Perse (*Ranunculus asiaticus* 'Accolade') (3)
- ♣ 1 *Corydalis flexuosa* 'Purple Leaf' ou voisin (4)
- ♣ Toile pour doubler le panier
- ♣ 10 litres de terreau universel

OU BIEN...

À la place de la corydale, essayez des primevères bleues.

PROGRAMME D'ÉTÉ

JAN	FÉV	MARS	AVR	MAI	JUIN
JUIL	AOÛT	SEPT	OCT	NOV	DÉC

CE QU'IL VOUS FAUT

- ♣ 4 tagètes (*Tagetes* 'Bonita Mixed')(1)
- ♣ 1 plant de tomates-cerises buissonnantes (2)
- ♣ 1 grande capucine (*Tropæolum majus* 'Alaska') (3)
- ♣ 1 plant de persil frisé (4)
- ♣ 3 pieds de basilic (5)
- ♣ 1 chou frisé décoratif 'Red Chidori'(6)
- ♣ Paille et plastique noir pour tapisser le panier
- ♣ 10 litres de terreau universel

Panier à pommes de terre

Ces paniers de fer galvanisé utilisés pour la récolte des pommes de terre sont devenus des accessoires très recherchés des jardiniers pour leur fonction utilitaire mais, plus encore, pour les opulentes potées qu'ils permettent de réaliser. Ils peuvent être suspendus à un arbre ou à une solive et contiennent suffisamment de terre pour accueillir une large gamme de plantes.

Hauteur 18 cm
Largeur 33 cm
Longueur 45 cm
Poids 2 kg

Printemps

Une fois que l'on a épuisé les classiques associations printanières, on aspire à des compositions qui sortent des sentiers battus ou à créer l'inattendu avec des plantes habituelles. Ce panier de saison satisfait à ces deux exigences et ses plantes à fleurs sont mises en valeur par un feuillage pourpre.

L'euphorbe des bois et le bugle rampant sont des espèces européennes, la renoncule est une variété asiatique et ce remarquable *Corydalis* bleu provient de Chine. Leur mariage sera une réussite dans n'importe quelle suspension.

▷ *Cette composition demande peut-être un peu plus de soin, une dépense supplémentaire, mais elle se démarque sans peine des scènes printanières classiques.*

Été

Il n'est rien de plus satisfaisant que de cultiver une plante que l'on consomme. L'idée consiste ici à joindre l'ornemental au comestible en associant les tagètes, qui repoussent les aleurodes, aux tomates. On peut aussi associer des capucines – dont les feuilles et les boutons floraux sont comestibles – à du persil frisé, du basilic et à un chou décoratif. On obtient une belle composition susceptible d'agrémenter une salade.

UN PANIER PLANTUREUX

On peut bien sûr suspendre ce petit potager, mais il nous a semblé qu'il serait mieux situé au bord d'une allée proche de la cuisine, encadré par des herbes aromatiques. On choisira un plant de tomates buissonnant, faute de quoi les tiges se développeront interminablement avant même l'apparition des premiers fruits. Semez les capucines et les tagètes à l'intérieur en avril et le basilic, qui ne supporte pas d'être interrompu par un coup de froid, début mai, à moins de disposer d'une serre chaude.

△ *On réalisera ce bouquet potager d'été en semant du persil et un mélange de salade pour encadrer des fleurs comestibles, bourrache, capucines et soucis.*

▷ *Disposez le panier d'été sur un pot pour écarter les limaces, auprès d'une bordure de plantes aromatiques. Ce sera un régal pour les yeux et pour les papilles.*

DES PIÈCES DE COLLECTION

Certaines plantes, notamment les toutes dernières variétés, semblent introuvables, mais, après de nombreuses recherches, nous avons fini par découvrir le compagnon rouge (*Silene dioica* 'Thelma Kay') qui répondait à nos attentes. Son feuillage veiné de jaune et ses fleurs rose vif forment un ensemble magnifique. Glissé derrière le bugle de printemps, qui maintenant débordait en cascade, le compagnon rouge s'est mis à son tour à s'épancher.

Pour exploiter le thème du jaune veiné, on a ajouté un saxifrage (*Saxifraga x urbium*) et un vulpin (*Alopecurus pratensis* 'Variegatus') panachés. Le panier était un écrin de bijoux et les fleurs bleues en grappes du bugle se montraient sous leur meilleur jour. Il faudra peut-être traiter le feuillage contre le mildiou, si possible avant les premières taches de duvet blanc caractéristiques de la maladie.

◁ *Feuillage et fleurs du compagnon rouge 'Thelma Kay' et du bugle forment un heureux contraste. Il ne leur manquait plus que des graminées et des feuilles en rosette pour parfaire la composition.*

△ *Enfoncé en terre de quelques centimètres au milieu d'une mer de myosotis, ce pot servira de piédestal au panier qui le dissimulera.*

PROGRAMME D'AUTOMNE

JAN	FÉV	MARS	AVR	MAI	JUIN
JUIL	AOÛT	**SEPT**	**OCT**	NOV	DÉC

CE QU'IL VOUS FAUT

♣ Pommes de terre 'Arran Victory' ou autre variété à peau violette comme 'Négresse' (1)

♣ Tomates : 2 variétés différentes de tomate-cerise (2)

♣ Oignons rouges (3)

♣ Une association d'herbes coupées (4)

♣ Paille pour tapisser le panier

♣ 2 petits paniers d'osier et une cruche comme réserve d'eau

◁ *Le savoureux marché se répartit entre deux petits paniers d'osier disposés dans le grand panier métallique.*

Automne

La célébration de l'abondance estivale et les réjouissances qui accompagnent les moissons sont profondément ancrées en nous. Rares sont les jardiniers qui n'ont pas la joie d'exposer leurs plus beaux produits de saison. Cet arrangement de paniers permet de les présenter à la cuisine ou dans l'entrée, et ce sera aussi l'occasion d'offrir cette plantureuse récolte à qui saura l'apprécier.

UNE CORNE D'ABONDANCE

Tapissez de paille le panier métallique, puis tressez avec quelques brins une couronne qui en garnira le pourtour. Installez les deux petites corbeilles d'osier et gardez une place pour une cruche qui accueillera les herbes coupées. Puis rassemblez vos produits. Les arrangements de formes et de couleurs sont inépuisables.

Commencez par les pommes de terre, suivies des tomates et des oignons rouges, et terminez par les herbes aromatiques les plus utiles, basilic, menthe, thym, persil, liées en botte dans la cruche ou le vase rempli d'eau. Un régal multicolore et vitaminé !

△ *Fruits et légumes sont parfois si décoratifs que l'on n'ose les manger. On trouve des pommes de terre de toutes tailles, de toutes formes et même dans des couleurs étonnantes.*

Hiver

Si un panier à récolter les pommes de terre garni de branchages de conifères ressemble à un nid, les tulipes, dressant leurs corolles au milieu comme des becs grands ouverts, forment la couvée. Le seul problème est que ces fleurs ont besoin de beaucoup de soleil hivernal pour épanouir leurs pétales bordés de noir. Mais, en ce début d'année, elles n'ont pas d'équivalent.

UNE NICHÉE DE BULBES

Tapissez le panier de branchages de cyprès de Leyland et recouvrez-les d'un plastique noir qui recevra la terre. Garnissez de nouveau de branchages en les disposant de façon à former une couronne retombante. Vous pouvez maintenant planter les bulbes.

△ *Ce trio de plantes à bulbe tient de l'exploit, mais ce sera à coup sûr la plus raffinée des compositions de printemps.*

GESTION DES PLANTATIONS

Pour obtenir la meilleure harmonie d'ensemble, plantez les tulipes et les crocus en automne dans des pots de 10 cm. Commandez au printemps chez un spécialiste des perce-neiges « en vert » et mettez-les en pot l'année précédant leur installation, ou bien achetez-les en pot au moment d'installer la potée d'hiver. On peut également déterrer ceux que l'on a cultivés, quand les feuilles des plants apparaissent. N'employez pas de bulbes secs qui ne donneraient pas de résultat assez tôt.

Transplantez les perce-neiges et les tulipes en février. Installez les crocus au bord du panier pour qu'ils s'étalent sur les branchages de conifère. Ajoutez les tulipes et suspendez le panier à une solive ou à une branche d'arbre en situation ensoleillée et abritée. Par mauvais temps, rentrez le panier sous un porche, une véranda ou une serre.

◁ *Un rayon de soleil saura magnifier ces floraisons éclatantes.*

PROGRAMME D'HIVER

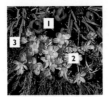

JAN	FÉV	MARS	AVR	MAI	JUIN
JUIL	AOÛT	SEPT	OCT	NOV	DÉC

CE QU'IL VOUS FAUT

- ♣ 20 tulipes botaniques (*Tulipa humilis* 'Violacea') (1)
- ♣ 20 *Crocus tommasinianus* ♀ (2)
- ♣ 20 perce-neiges (*Galanthus nivalis* ♀) (3)
- ♣ Branchages de conifères et plastique noir pour tapisser le panier
- ♣ Mousse de garniture

OU BIEN...

Il existe des tulipes botaniques T. *humilis* d'un rose plus clair. C. *tommasinianus* 'Ruby Giant' et 'Whitewall Purple' ont des couleurs plus soutenues.

POUR LE LONG TERME

Pour démarrer la saison des bulbes encore plus tôt que par ces deux variétés hâtives de crocus et de tulipes, intercalez des perce-neiges cultivés en pot dont la floraison a lieu en janvier et février. Leur feuillage verdâtre apporte de la substance à la potée après la floraison et un soutien aux tulipes. En avril, plantez les crocus au jardin. Ils se développeront rapidement et formeront une colonie prospère. Empotez les perce-neiges pour l'année suivante. Ces tulipes botaniques sont difficiles à installer au jardin en dehors d'une serre alpine ou d'un châssis froid.

PROGRAMME DE PRINTEMPS

JAN	FÉV	MARS	AVR	MAI	JUIN
JUIL	AOÛT	SEPT	OCT	NOV	DÉC

CE QU'IL VOUS FAUT

* ♣ 10 narcisses doubles (*Narcissus 'Tahiti'*) (1)
* ♣ 4 couronnes impériales (*Fritillaria imperialis* 'Aurora') (2)
* ♣ 10 muscaris (*Muscari armeniacum* ♀) (3)
* ♣ 3 giroflées (*Erysimum cheiri* série Bedder 'Orange Bedder') (4)
* ♣ 1 cyprès sawara jaune à port rampant (*Chamœcyparis pisifera* 'Filifera Aurea' ♀) (5)
* ♣ Billes d'argile ou tessons de pot
* ♣ 10 litres de terreau universel pour le pot et 18 litres pour la jatte

OU BIEN...

Des couronnes impériales jaunes donneraient le ton à cette composition et feraient le lien avec des narcisses 'Golden Ducat' et des giroflées 'Primrose Bedder'.

POUR LE LONG TERME

Après la floraison, plantez les narcisses à 15 cm d'intervalle, dans le gazon ou en massif. Plantez les couronnes impériales dans une terre enrichie en compost en situation ensoleillée. Faites un apport d'engrais potassique au printemps et en automne. Inclinez légèrement les bulbes en terre pour que l'humidité ne pénètre pas dans le trou central et pour diminuer les risques de pourriture.

▷ *Une fois cette poterie de grès au sel plantée de bulbes, complétez le tableau de feuillages et d'euphorbes.*

Grès au sel

La poterie de grès au sel offre une glaçure caractéristique et des variations de couleur obtenues en projetant du sel dans le four en cours de cuisson. Totalement étanche, cette céramique risque beaucoup moins de se fendre pendant les gelées que la poterie de terre cuite. Contrairement à cette dernière, le grès au sel se patine peu, à l'exception de quelques moisissures.

POT	JATTE	JARRE
Hauteur 28 cm	Hauteur 30 cm	Hauteur 63 cm
Diamètre 38 cm	Diamètre 20 cm	Diamètre 25 cm
Poids 10 kg	Poids 5 kg	Poids 25 kg

Printemps

Les bulbes et les feux d'artifice ont beaucoup de points communs. Tous deux réservent des surprises et se déploient en bouquets spectaculaires. On ne peut rêver plus plaisante manière de cultiver, et bien des jardiniers cèdent aux charmes des bulbes.

Les jardins de Keukenhof - vitrine hollandaise qui présente quelques échantillons sur les neuf milliards de bulbes que la société produit par an - sont certes fastueux, mais, sans l'association d'arbustes et de plantes herbacées, ils risquent aussi d'être écrasants. La sélection présentée ici, beaucoup plus modeste, offre une combinaison de plantes complémentaires sachant mettre en valeur les qualités propres à chaque bulbe.

SIMPLES OU DOUBLES

Soit on se passionne pour les narcisses doubles, soit on les déteste. Les variétés les plus lourdes peuvent se casser par mauvais temps, mais c'est à cette période que les fleurs coupées viennent garnir les vases, où elles vivront encore longtemps. Nous avons calé les 'Tahiti' avec des morceaux de bois noueux. Pour obtenir une potée bien garnie, planter dix bulbes sur deux couches. Le pot a été surélevé grâce à un autre pot retourné pour remplir les loges du fond de ce théâtre horticole, où les narcisses surplombent les rangs d'orchestre rouge-orange des fritillaires.

LEURS ALTESSES IMPÉRIALES

Les couronnes impériales sont des plantes envoûtantes dont les fleurs retombent avec une certaine superbe. On prend un grand plaisir à les voir en potée la première année avant leur installation définitive en pleine terre. Elles dominent ici des muscaris, quoique des jacinthes bleues eussent sans doute fait meilleur effet.

Les giroflées apportent leur charme campagnard en compagnie de l'irremplaçable cyprès sawara.

Il est utile de disposer de plantes à feuillage telles que le berbéris et un fusain panaché jaune comme arrière-plan à la composition. *Euphorbia characias* subsp. *wulfenii* (derrière les couronnes impériales) est également un classique tant pour son feuillage que pour ses fleurs.

▷ *Ces délicieux bulbes de printemps méritent un cadre digne d'eux. Ils y seront beaucoup plus à leur avantage que chacun dans son pot sur un dallage nu.*

Été

Quelques nouvelles variétés naines, telles que *Rudbeckia hirta* 'Toto', ont déjà fait leurs preuves. Un autre rudbeckia montre des qualités si exceptionnelles que nous ne pouvons plus nous passer de cette annuelle : 'Becky Mixed' risque en effet de surpasser tous ses rivaux, et, en outre, supporte très bien la pluie.

LE SENS DE L'ÉQUILIBRE

Avant de sélectionner les plantes de la potée, il faut toujours s'assurer qu'à leur plus haut développement elles n'écraseront pas le conteneur. Non seulement une composition déséquilibrée heurtera le regard mais elle risque d'entraîner le pot dans la bourrasque. Certaines annuelles, telles les cosmos ou les immortelles, sont portées par de si longues tiges que l'on hésite à les cultiver en bac, même si, de temps en temps, on peut se laisser tenter par une composition démesurée.

En revanche, il faut saluer la hauteur des nouvelles variétés de sauge. La superbe *Salvia coccinea* 'Lady in Red' ♀, avec son élégante floraison étagée, n'a plus grand-chose à voir avec les variétés trapues de la classique *Salvia splendens*.

△ *Coléus et rudbeckias seront élevés en pot avant d'être mis en place.*

◁ *Les décors existants, ici un lamier, apporteront la maturité aux nouveaux venus.*

▷ *Aux couleurs flamboyantes du coléus répondra l'éclat des rudbeckias en un fastueux dessus de table estival.*

JEUNESSE ET MATURITÉ

De même qu'un nouveau jardin bénéficie de la présence d'un ou deux arbustes ou arbrisseaux à maturité, une jardinière déjà garnie de plantes pérennes se trouve à mi-chemin du succès. Ainsi, cette bordure permanente de lamiers, dissimulant presque le pot, a ici été photographiée fin juin. Lorsque l'envie de changer se manifeste, on raccourcit les tiges rampantes, on élimine les feuilles brunies et les épis de fleurs fanées, puis on ajoute du terreau et l'on plante de nouveaux pieds.

L'INSTALLATION

Rudbeckias et coléus se développent assez lentement à partir des semis par comparaison avec les tagètes ou les cosmos. Les plantes semées tôt doivent être parvenues à maturité en août, bien qu'il ne soit pas nécessaire d'attendre aussi longtemps pour les installer en pot. Planter les trois rudbeckias en triangle et les encadrer par les coléus. Les tons chauds de leurs feuillages sont un régal.

Avec ces poteries une autre possibilité consiste à planter des boutures de plantes rampantes, lamiers et lysimaques dès avril (ces deux espèces sont rustiques) ou des plants plus développés dans des

pots de 9 cm. Puis on installe les rudbeckias et les coléus en mai et on garde la potée en serre jusqu'au début juin. Après quoi, on lui réserve une place au-dehors, chaude et abritée.

UN CENTRE DE TABLE

Ce programme d'été a été l'occasion de créer un centre de table fleuri. Un guéridon de jardin en fer forgé comprenait un socle circulaire qui maintenait les pieds ; nous y avons disposé un vase plein d'eau puis, à travers le plateau ajouré, nous avons piqué des fleurs coupées dont les tiges plongeaient dans le vase. Les visiteurs ont été surpris de la longévité du bouquet. Des fruits mûrs sont venus agrémenter cette composition estivale.

POTÉES À L'OMBRE

Les floraisons d'été les plus flamboyantes sont souvent offertes par des plantes nées sous les climats méditerranéens ou tropicaux. Ainsi, l'escholtzia est originaire de Californie, l'hélianthème de la Méditerranée et le gazania d'Afrique du Sud. Installés à l'ombre des arbres, d'un mur ou d'une haie, ils dépériront. Certaines plantes ont en fait besoin de soleil pour s'épanouir.

Quand on installe une potée à l'ombre, il faut donc limiter ses ambitions, même s'il est vrai qu'un hosta, par exemple, se développera beaucoup mieux en pot que dans un massif où les racines des arbres pomperont toute l'eau. Un terreau humide, un apport d'engrais régulier, une bonne protection contre les limaces et les escargots, sont tout à fait bénéfiques.

En sol humide et à l'ombre, le mimulus est

▷ *À l'ombre, mimulus et hosta panaché offriront un spectacle coloré parmi les feuillages frais.*

précieux. On peut l'obtenir par semis ou acheter une variété donnée. *Mimulus* 'Calypso' ♀, un hybride F1 donnant une profusion de fleurs tachetées, peut fleurir au bout de deux mois. Il en existe également une forme panachée. Ici, on a entouré un hosta 'Wide Brim' de cinq mimulus et le bord de la jatte a été garni d'un lierre panaché à petites feuilles. Environnée de pots de fougères, cette potée de grès a su admirablement tirer parti d'une situation délicate.

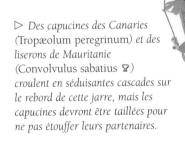

▷ *Des capucines des Canaries (Tropæolum peregrinum) et des liserons de Mauritanie (Convolvulus sabatius ♀) croulent en séduisantes cascades sur le rebord de cette jarre, mais les capucines devront être taillées pour ne pas étouffer leurs partenaires.*

Automne

Bien que les jours commencent à décliner de plus en plus tôt, il existe encore de belles occasions d'insuffler une nouvelle vie à vos potées en y associant des plantes arbustives aux couleurs automnales, des grimpantes et une ou deux variétés originales.

On retrouvera au fil de ces pages l'idée de rassembler plusieurs potées pour créer une composition luxuriante. Non seulement la qualité du spectacle est assurée, mais les plantes se protègent en diminuant les pertes d'eau par leur proximité. On transfigurera ainsi en quelques heures une maçonnerie sans charme, un dallage nu ou une allée de ciment.

UN ÉCRAN DE COULEURS

On n'est pas nécessairement séduit à l'idée de faire disparaître ses murs sous une masse de grimpantes. On peut trouver décourageant, par exemple, de palisser et d'entretenir ces cascades de glycines et de rosiers. Installer une plante ou un arbuste grimpants en pot permet d'obtenir plus

△ *Déjà en place, une vigne vierge en pot (*Vitis coignetae* ♥) a servi de décor à la composition d'automne.*

facilement l'écran végétal recherché. Les murs peints constituent peut-être le meilleur faire-valoir pour les couleurs vives, ce qui permet d'éviter par exemple que la brique ne jure avec une floraison rouge ou orange.

▷ *On fera appel à toutes les ressources de la fin de l'été et du début de l'automne pour créer cet impressionnant tableau végétal. À mesure que l'une ou l'autre plante meurt ou gèle, une nouvelle venue viendra la remplacer pour entretenir cette foison.*

△ *Ces feuillages d'automne prouvent que l'on peut se passer de fleurs.*

Dans cette réalisation automnale, nous avons disposé deux potées stratégiques au premier plan. Un trio de pélargoniums rassemblait les plus beaux feuillages de ces variétés : 'Frank Headley' ❦ (une merveille avec ses feuilles vert sauge et blanches et ses fleurs roses), 'Madame Salleron' ❦ (qui semble refuser de fleurir) et 'Crystal Palace Gem' ❦ (également de toute beauté avec un feuillage bordé de jaune et des fleurs rouge vif). Le chou a été placé à droite des géraniums, offrant son feuillage encore plus spectaculaire.

Derrière ces deux vedettes ont été disposées des fleurs à massif telles que des impatiens, une sauge écarlate, des pensées et une lobélie. Aucune de ces plantes ne brillerait seule, mais, ensemble, c'était une fête pour les yeux. Quelques pots de *Crocosmia* 'Solfatare' se détachaient au pied de la vigne vierge qui mettait leur floraison en valeur. Des notes de gris et de jaune parachevaient l'œuvre.

LE CHOU EST ROI

Une présentation un peu théâtrale associait un chou décoratif 'Tokyo Mixed' et l'euphorbe panachée 'Burrow Silver', très fêtée, achetée à des floralies, la meilleure introduction pour continuer à décliner le thème du feuillage. Le pot de grès a donc accueilli quelques pieds d'*Houttuynia* (dont la culture en bac s'impose car elle prolifère comme la menthe), bordés par un tapis de trèfle à feuilles veinées de jaune. Cette composition a tenu des semaines.

Hiver

À la lecture du calendrier de cette composition, on n'en croira sans doute pas ses yeux : sept mois de gloire, et une potée qui traverse tout l'hiver. Oui, c'est possible, si l'on dispose de plantes qui ont autant de charme en boutons qu'en fleur. On connaît sans doute *Skimmia japonica* 'Rubella', une plante mâle dont les boutons floraux rouge vif se développent à la fin de l'été mais ne s'ouvrent qu'au printemps suivant. Les jeunes plants se développent de manière impressionnante et sont particulièrement productifs. Les spécimens cultivés comptent trois pieds par pot (c'est ici le cas), ce qui donne des plantes denses et arrondies. Le pieris, lui, est naturellement globuleux ; 'Cupido' présente également des boutons rouges et mérite d'être recherché.

FUNESTE CALCAIRE

Toutes ces plantes redoutent le calcaire, aussi doit-on remplir ce pot de terre de bruyère acide avant de planter le pieris. Installez ensuite le skimmia avec un nouvel apport de terre de bruyère tassée autour de la motte de racines, puis comblez encore de terre le volume du pot pour accueillir les bruyères. Les boutons de ces plantes fascinantes ne s'ouvrent pas mais gardent leur couleur pendant des mois.

Les floraisons tant attendues du skimmia et du pieris commencent en mars-avril. On peut préférer le skimmia en boutons, même si les fleurs sont odorantes. Pour le parfum, on peut toujours installer des potées de giroflées et de primevères. Après la floraison, repiquez les plantes en pots individuels où elles continueront à se développer ou installez-les en massif pour former le jardin hivernal.

PROGRAMME D'HIVER

| JAN | FÉV | MARS | AVR | MAI | JUIN |
| JUIL | AOÛT | SEPT | OCT | NOV | DÉC |

CE QU'IL VOUS FAUT

- ❦ 1 *Skimmia japonica* 'Rubella' (1)
- ❦ 1 *Pieris japonica* 'Cupido' (2)
- ❦ 1 bruyère commune (*Calluna vulgaris* 'Marleen') (3)
- ❦ Billes d'argile ou tessons de pot
- ❦ 18 litres de terre de bruyère

OU BIEN...

On peut remplacer le pieris par un skimmia femelle qui, en compagnie d'un mâle 'Rubella', donnera des baies rouges persistantes, ou planter l'hermaphrodite *S. japonica* subsp. *reevesiana*.

OU ENCORE...

Pour obtenir un contraste encore plus vif avec le skimmia, voir pages 64 et 65.

△ *Les boutons de skimmia et de piéris s'ouvriront au printemps, au moment où la bruyère aura fait son temps.*

◁ *Rouges comme braise, les boutons du skimmia diffuseront leur chaleur tout l'hiver.*

Petites coupes en terre cuite

La poterie de terre cuite traditionnelle est idéale pour un petit jardin alpin installé en plein air. Ces conteneurs permettent aussi d'élever les plantes à hauteur du regard. Poreuse, l'argile laisse respirer les racines et, comme elle sèche plus rapidement que le plastique, il y a moins de risque de trop arroser les plantes sensibles à la pourriture.

GRANDE COUPE	COUPE MOYENNE	PETITE COUPE
Hauteur 15 cm	Hauteur 12,5 cm	Hauteur 7,5 cm
Diamètre 25 cm	Diamètre 25 cm	Diamètre 15 cm
Poids 2 kg	Poids 1 kg	Poids 0,5 kg

Printemps

La poterie de petite taille est précieuse au printemps et convient particulièrement bien aux plantations simples, bien qu'ici, aux potées à plante unique, nous préférions de beaucoup les grandes compositions installées dans une même terre. Il reste qu'une collection de crocus, de pensées ou de primevères en petits pots aura beaucoup de charme si l'on sait en préparer la mise en scène. Ce chapitre propose quelques-unes de ces mini-présentations.

UN COUPLE IDÉAL

Le mariage de ces deux gloires printanières confirme qu'elles sont faites l'une pour l'autre, en massif ou en potée. Le chionodoxa est une plante à bulbe précoce, peut-être pas d'un bleu aussi intense que *Scilla sibirica*, mais, une fois qu'elle a décidé d'éclore, elle forme rapidement un grand tapis étoilé insensible aux éléments (certains bulbes attendent le soleil pour s'épanouir). Son partenaire parfait est *Arabis blepharophylla* 'Frühlingszauber'.

Plantez la grande coupe en automne en commençant par l'arabis, dans une terre drainante enrichie en gravier. Recouvrez la surface de terre à gravier avant de planter les bulbes de chionodoxa. Terminez par des gravillons en surface qui amélioreront encore le drainage autour des collets d'arabis.

Placez la coupe sur une pierre plate et entourez-la d'une ou deux pierres dressées, plantées dans du gravier, pour former un décor de montagne.

THÉÂTRE D'AURICULES

On sera séduit par l'association magique des giroflées naines et des primevères auricules (*Primula auricula*), qui, installées dans une terre cuite patinée, déploieront couleurs et parfums

△ *Les idées les plus simples sont parfois les meilleures. Chionodoxa et arabis forment ici un couple idéal.*

△ *Giroflées naines et auricules mêlent leurs senteurs champêtres en une association de rêve.*

pour le plaisir des sens. Les auricules se développent bien en pot ; c'est d'ailleurs de cette manière que sont cultivées à la perfection les variétés horticoles les plus recherchées.

Il ne s'agit pas ici de plantes de concours, mais de simples primevères de massif, d'allure plus libre. On peut les acheter en fleur au printemps, avec un grand choix de couleurs ; le semis est plus hasardeux. Si l'on est vraiment passionné, on choisira chez un spécialiste l'une ou l'autre de ces merveilleuses variétés horticoles, noires ou vertes. Il faudra néanmoins les cultiver en serre froide.

On pourra en revanche semer les giroflées naines, telles qu'*Erysimum cheiri* 'Tom Thumb Mixed', en mai ou juin ou acheter une touffe de racines nues en automne et la planter. Étalez en surface des pots des éclats de pierre calcaire ; giroflées et auricules aiment le calcaire, tandis que les limaces fuiront ces surfaces inhospitalières.

▷ *Un siège de jardin ou un banc peuvent servir d'étagères pour présenter vos plantes favorites.*

CE QU'IL VOUS FAUT

♣ I trèfle panaché de jaune (*Trifolium pratense* 'Susan Smith') (I)

♣ I trèfle pourpre (*T. repens* 'Purpurascens') (2)

♣ I oxalis (*Oxalis tetraphylla* 'Iron Cross') (3)

♣ Billes d'argile ou tessons de pot

♣ 5 litres de terreau universel

OU BIEN...

Trifolium repens 'Variegatum' offre un feuillage joliment panaché. Il se laisse un peu aller à la fin de l'été, aussi faut-il le tailler.
Associez-le à une autre plante à feuillage pourpre telle qu'*Oxalis triangularis*.

POUR LE LONG TERME

Ne laissez pas les limaces envahir le trèfle rouge ; elles dévorent la feuille en surface et en ruinent l'apparence. Guettez les traces de bave et attrapez les gastéropodes le soir par temps humide. L'oxalis n'est que semi-rustique ; il faudra qu'il hiverne à l'abri. Son feuillage meurt en automne.

Été

Il faut y réfléchir à deux fois avant d'installer dans de petits conteneurs des plantes aussi vigoureuses ou avides d'eau que les pétunias et les impatiens. Celles qui ont un haut développement paraîtront démesurées et il serait dommage de dissimuler une belle terre cuite sous un flot de plantes retombantes.

UNE POTÉE PORTE-BONHEUR

S'il est vrai que la chance se sollicite, on prend alors toutes les assurances en plantant le trèfle à quatre feuilles (en fait un oxalis). Ce porte-bonheur donne même parfois cinq feuilles. Ce plant a survécu à une semaine sans arrosage. D'ailleurs, dans un gazon, l'oxalis reste vigoureux bien après que les graminées ont jauni.

Cette composition estivale associe donc trois plantes à feuillage : deux trèfles ornementaux et un oxalis. Ce dernier se trouve couramment en bulbes secs au printemps ou en pot et le trèfle en pousses ou en jeunes plants. Empotez-les en avril et, au milieu de l'été, les premières fleurs doivent apparaître : celles du trèfle panaché sont rose pâle,

△ *Les jardiniers qui considèrent le trèfle et l'oxalis comme des mauvaises herbes seront surpris par ce trio.*

celles du trèfle à feuilles pourpres sont blanches et celles de l'oxalis d'un rose très séduisant.

MAGIE DES PLANTES GRASSES

Lorsqu'on sort ses plantes grasses en été, pourquoi ne pas les replanter ensemble dans une coupe ? En une saison, elles feront plus que doubler de taille. Avec leurs feuilles en rosette, l'echeveria et l'haworthia sont impressionnants vus de haut, aussi leurs pots ont-ils été placés au bord d'une allée de dalles et de gravier.

Pour enrichir les couleurs et les textures tout en meublant les espaces entre les spécimens les plus importants, les plantes alpines à feuilles charnues telles que l'orpin (*Sedum*) et la joubarbe (*Sempervivum*) sont précieuses. Les plantes grasses gagnent à être regroupées. Il est classique d'en associer trois de tailles et de hauteurs différentes.

AUTRES SUGGESTIONS

œillets mignardises ou de rocaille
camomille
Felicia amelloides 'Variegata'
gazania
hélianthème
joubarbe
Sedum spathulifolium 'Purpureum' ♀
thym

◁ *L'association de plantes alpines rustiques à feuilles charnues et de plantes grasses en rosette tire le meilleur parti de ces pots peu profonds.*

Automne

Les chutes de température et les jours qui raccourcissent déclenchent la floraison de certaines plantes à bulbe. Elles montent en graine et meurent avant l'installation du froid. Tel est le cas des petits crocus d'automne, dont l'allure peut paraître frêle mais qui animeront une potée basse.

MARIAGE À TROIS

En août, nous avons commandé des crocus d'automne à un horticulteur qui conserve les bulbes au froid pour en étendre la période de plantation. Certains fleurissent même dans ces conditions. Nous avons planté les bulbes le jour de leur arrivée (un 2 octobre) et ils étaient en pleine floraison environ un mois plus tard. Inutile de leur chercher d'autres partenaires que ces variétés d'asters chimiquement rendues naines. Le *Cyclamen hederifolium*, très à l'aise en pot, apportera le feuillage idéal.

▽ Crocus, cyclamens et asters sont disposés sur des étagères réalisées avec des tablettes, dallages et carreaux de céramique anciens d'un bel effet sous le soleil automnal déclinant.

Hiver

Certains crocus d'automne peuvent poursuivre leur floraison en même temps que les crocus d'hiver les plus précoces débuteront la leur, pourvu qu'ils aient été plantés dans une terre chaude au pied d'un mur. Cultiver ces petites merveilles en pot présente l'avantage de pouvoir les installer sous un porche, une véranda ou en serre pour les stimuler le plus longtemps possible. Plantez les bulbes de crocus en pots de terre cuite à l'automne. Les variétés à petites fleurs ont tendance à s'épanouir plus tôt que les robustes hybrides hollandais à grandes fleurs, aussi, pour étager la floraison, on associera ces différents types. *C. tommasinianus* ♀ est l'un des premiers à se manifester, suivi par les variétés de *C. chrysanthus*. L'harmonie de pourpre, de lilas clair et de jaune est toujours des plus heureuses. Supprimez les fleurs fanées dès qu'elles commencent à perdre leurs pétales autour du pot et à se flétrir. On peut conserver les bulbes en pot pour reprendre la même composition ou les transplanter et expérimenter de nouvelles variétés tous les ans.

◁ Rassemblés en petits pots de terre cuite, les crocus d'hiver paraissent sous leur meilleur jour.

CE QU'IL VOUS FAUT

♣ 20 narcisses doubles odorants (*Narcissus* 'Erlicher'ou autre) (1)

♣ 20 muscaris bleus (*Muscari armeniacum* ♈) (2)

♣ 3 tanaisies dorées (*Tanacetum parthenium* 'Aureum') (3)

♣ Toile à sac ou paille pour tapisser le panier

♣ 16 litres de terreau universel pour les pots du panier

OU BIEN...

On peut remplacer les narcisses par des jacinthes blanches en pots au moment de la floraison.

POUR LE LONG TERME

Les narcisses 'Erlicher' ayant vécu plus longtemps que les muscaris, nous avons remplacé ces derniers par des anémones de Caen roses (*Anemone coronaria* groupe De Caen) et *A. blanda* ♈, bleues, et parsemé des pensées comme on peut le voir ci-contre.

OU ENCORE...

Les muscaris sont robustes, bon marché et parfaits pour les potées qui ont besoin de bleu au démarrage (voir page 128).

Grand panier d'osier

Les grands paniers à fruits font d'excellentes jardinières. Pour prolonger leur durée de vie, appliquez trois couches de vernis à bateau sur l'osier, doublez de plastique et mettez à l'abri en hiver. Bien que les paniers de vannerie artisanale tels que celui-ci soient plus solides que les articles d'importation, il vaut mieux éviter de les tenir par l'anse.

Hauteur 20 cm
Largeur 30 cm
Longueur 50 cm
Poids 2 kg

Printemps

C'est sans doute au printemps que l'on tire le meilleur parti des paniers en osier, dont le charme rustique se prête aux compositions de plantes à bulbes et de vivaces précoces. Cet esprit se perdra en grande partie si l'on présente le panier sur une table de jardin en plastique blanc ou sur un dallage nu. On le disposera au contraire sur une allée longée d'une bordure, niché parmi d'autres potées de vannerie ou de bois, ou émergeant d'une nuée de myosotis ou de jacinthes des bois. Dans une maison de campagne, on pourra le placer sur le rebord ou l'appui d'une fenêtre où l'on profitera d'une floraison parfumée.

▷ Entretenez la densité de la composition en remplaçant les plantes à mesure qu'elles meurent.

PRÉVOYANCE

Les narcisses doubles tels que ces hybrides offrent une floraison longue, abondante et capiteuse. Il faudra les commander à un pépiniériste et les planter à l'automne car il est peu probable qu'ils soient proposés à la vente au printemps. Les muscaris doivent être également empotés à l'automne. Il suffit d'une seule tanaisie, car cette fleur se multiplie spontanément, mais sans devenir encombrante. Ces trois plantes ont été déterrées du massif en mars.

▽ Si vous prévoyez très en avance le programme de plantation, vous serez récompensé de vos efforts, comme le montre ce panier

PANIER GARNI

Il ne sert à rien de ménager l'espace dans une composition de printemps, car les plantes à bulbe ne s'étendent pas. Garnissez le panier d'un épais tapis de paille ou d'une toile de sac et installez d'abord les narcisses, en les laissant dans leurs pots si l'on préfère ; ils seront plus faciles à replanter en massif après la floraison, mais il faudra dans ce cas dissimuler le rebord des potées avec davantage de paille. Nous avons replié la toile de sac pour obtenir une couverture immédiate. Veillez également à ce que l'anse ne sépare pas les bulbes des autres plantes.

Installez les muscaris parmi les tanaisies où ils capteront l'attention et inclinez-les pour qu'ils débordent du panier. On peut également réussir ce très bel effet dans un massif ou une bordure.

◁ Rassemblez les narcisses en touffes serrées car ils n'auront pas besoin d'espace pour se développer.

PROGRAMME D'ÉTÉ

JAN	FÉV	MARS	AVR	MAI	JUIN
JUIL	AOÛT	SEPT	OCT	NOV	DÉC

CE QU'IL VOUS FAUT

♣ 9 phlox annuels (*P. drummondii* 'Phlox of Sheep' ou autre, comme 'Fantasy') en pots de 9 cm ou par trois en pots de 13 cm de diamètre (1)
♣ 1 caissette de brachycomes (*Brachycome iberidifolia* 'Bravo') (2)
♣ Plastique et paille de garniture
♣ 20 litres de terreau universel

△ *Jouez les contrastes en associant les brachycomes à ces ursinias obtenus de semis, à des fleurs de marguerite orange vif, et aux verveines rouges.*

OU BIEN...

Essayez *Verbena* 'Pink Parfait' avec des pétunias simples ou doubles, striés rouge et blanc, ou *P.* 'Purple Wave' avec un bidens jaune retombant. Les capucines *Tropæolum* race Alaska vont bien avec les tournesols nains *Helianthus* 'Pacino', tout comme *Tagetes* 'Vanilla' avec le bleu-mauve de *Scævola æmula*.

Été

Rien de tel qu'une accroche pour lancer les ventes de graines et de plantes, et des milliers de jardiniers anglais ont découvert la nouveauté de ce 'Phlox of Sheep'. À peu près tout poussant en pot, pourquoi se cantonner aux géraniums, fuchsias, impatiens et autres lobélies ? C'est ainsi que nous avons découvert que le phlox et le brachycome s'entendaient à merveille.

Vivace ou annuel, le brachycome essaime sur ses tiges minces, ayant toujours hâte de déborder le pot. Il s'harmonisera avec presque toutes les couleurs. De nombreux phlox annuels se livrent aussi à de tels débordements en petite potée.

SEMIS

Les jardiniers qui ne font pas eux-mêmes leurs semis se privent ainsi de plantes qui restent absentes des rayons d'horticulture. Si l'on s'abstient de semer parce qu'on redoute le repiquage, il faut essayer de bien espacer les graines dans la caissette à semis et laisser germer jusqu'à la taille de plantation. On peut aussi semer en paquets de trois ou quatre graines dans une caissette à alvéoles. Cela ne vaut que pour les graines assez grosses pour être manipulées.

Les quelque soixante graines de brachycome que nous avons semées en mars ont donné, trois mois après, la meilleure sélection que nous ayons vue. Le mieux est de transplanter la touffe entière dans le panier, ce qui convient également au nemesia. Cette méthode est beaucoup plus efficace que la division de la touffe en plantules, car les racines en pâtiraient à un stade de croissance aussi avancé.

Dès juin, le phlox commençait lui aussi à révéler sa nature délicate, et parfois odorante, en rose et chamois pastel après des semis de mars. Il a été repiqué par trois en pots de 13 cm, puis installé au début de juin où il s'est mis à former un séduisant tapis, si abondant qu'il a fallu monter le panier sur un pot retourné, au milieu d'un parterre qui laissait un espace libre.

△ *Inutile de vous sentir en faute si vous oubliez de repiquer les brachycomes. Semés en caissette, ils fourniront de belles touffes à replanter directement dans le panier.*

◁ *Laissez le phlox déborder du panier s'il commence à se répandre.*

Automne

Nombreuses sont les plantes de massif d'été qui commencent à se fatiguer à la fin du mois d'août, notamment si elles ont séché une ou deux fois, sont montées en graine ou ne connaissent naturellement qu'une saison brève. Pour les remplacer, pourquoi ne pas garnir le panier de fleurs d'automne pimpantes et de feuillages colorés ? Commencez au début de septembre quand toutes les plantes sont disponibles. En ajoutant des bulbes nains, cette collection de plantes fournira la base de compositions d'hiver et de printemps. On s'approvisionnera dans une jardinerie ou chez un pépiniériste et l'on obtiendra un bon résultat dès après l'installation.
Lorsqu'on veut créer un massif, il faut prendre en compte de nombreux facteurs, de nature pratique et esthétique. Le jardin en pots, lui, simplifie la mise en œuvre parce que l'on contrôle les conditions de croissance (la terre, l'exposition) ; il laisse libre cours à l'imagination, d'où son succès.

BANC D'ESSAI

On mettra toutes les chances de succès de son côté en commençant par rassembler au sol une sélection de plantes de saison en les associant judicieusement. Le violet et le jaune étant des couleurs complémentaires, un feuillage jaune valorisera donc davantage le chou décoratif que le blanc. De même, le leucothoé à feuillage violacé se détachera mieux sur une bruyère jaune. Les pétales supérieurs des pensées répondront au pourpre tandis que ceux du bas réfléchiront le jaune. Quant au tapis de lierre, il servira de lien à l'ensemble, de même que les bulbes nains.

MISE EN PLACE

Tapissez le panier de plastique noir ; un sac de terreau découpé conviendra parfaitement. Pratiquez quelques fentes au fond et couvrez de terre de bruyère (acide, car le calcaire nuit à la bruyère et au leucothoé). Disposez la bruyère, puis le leucothoé, enfin le chou. Inclinez les trois plantes vers l'avant et ajoutez du terreau entre les mottes de racines. Plantez le lierre parallèlement au petit côté, faites-

△ *Les pensées d'hiver et les bulbes de printemps fourniront les floraisons de ce panier garni de feuillages persistants et contrastés.*

le déborder sur les flancs et enroulez-le autour de l'anse s'il est assez long. Terminez par les pensées. Éliminez au vaporisateur la terre répandue sur les plantes et passez quelques minutes à parfaire leur arrangement. Relevez les pensées pour qu'elles se détachent bien sur le feuillage.

▷ *Les contrastes sont la clé d'une composition vivante. Cette association d'automne constituera par la même occasion la base de celle d'hiver.*

PROGRAMME D'AUTOMNE

| JAN | FÉV | MARS | AVR | MAI | JUIN |
| JUIL | AOÛT | SEPT | OCT | NOV | DÉC |

CE QU'IL VOUS FAUT

- ♣ 1 chou décoratif violet (1)
- ♣ 1 bruyère arborescente (*Erica arborea* 'Albert's Gold' ♀) (2)
- ♣ 1 *Leucothoe* 'Scarletta' (3)
- ♣ 1 lierre panaché (*Hedera helix* 'Minor Marmorata') (4)
- ♣ 6 pensées bicolores jaune et bordeaux (5)
- ♣ Film plastique
- ♣ 20 litres de terre de bruyère

OU BIEN...

Si vous n'avez pas pu vous procurer la bruyère arborescente, essayez *Thuya occidentalis* 'Rheingold' ♀. *Leucothoe walteri* 'Rainbow' est panaché et prend des couleurs rouge et violette en hiver

POUR LE LONG TERME

Ajoutez des bulbes nains. *Iris danfordiae* et *I. reticulata*, des crocus, des narcisses nains et des tulipes naines précoces formeront une belle palette de couleurs. On évitera les plantes de plus de 30 cm de hauteur. Si le chou décoratif a pourri, remplacez-le par une bruyère d'hiver en janvier.

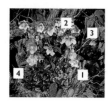

Hiver

Malgré tous les efforts, on n'atteindra pas au cœur de l'hiver l'opulence des floraisons estivales. À part la bruyère d'hiver, peu de plantes fleurissent en masse de manière spectaculaire.

Ainsi, certaines variétés, telles que *Sarcococca* et *Azara microphylla* ♀, ne révèlent leur floraison très discrète que lorsqu'on hume le parfum qui trahit la présence des fleurs.

L'hiver est plus généreux sur les branches d'Hamamélis ou de viorne, mûres par exemple, plus séducteur avec les baies (*Viburnum*) et les rameaux colorés. Pour apprécier cette beauté frêle, il faut la mettre en valeur dans un endroit ensoleillé et abrité, si possible près d'une fenêtre ou d'une entrée pour l'avoir à portée de regard.

LA TÊTE HAUTE

Quelle satisfaction de pouvoir contempler les larges corolles des hellébores quand les autres jardiniers en sont encore à feuilleter fébrilement les catalogues de grainetiers en attendant les beaux jours. Caressés par un soleil pâle, soutenus par des branchages colorés et quelques plantes à leurs pieds, les roses de Noël seront la joie de l'hiver. Commencez par deux ou trois plants d'hellébores bien choisis et placez-les à l'arrière du panier, en positionnant quelques tiges sur le devant de l'anse avant la mise en place définitive des pots. Calez ceux-ci avec la paille qui dissimulera le plastique et isolera les plantes du froid. Taillez quelques branches bien rigides de cornouillers rouges ou jaunes et plantez-les au pied des roses de Noël ; leurs fourches serviront à soutenir les fleurs pendantes. Installez les autres plantes de saison, ajoutez de la paille pour caler et terminez par une couronne de pommes de pin, sauf si vous tenez à éloigner les écureuils.

▷ *Repiquez les roses de Noël en mai devant un Mahonia japonica* ♀. *Laissez le leucothoé d'automne en place et accompagner d'un fusain panaché, de bruyère d'hiver, de pernettya à baies roses et de Crocus ancyrensis orange.*

△ *Les roses de Noël bien en place, piquez les branchages qui les soutiendront de leurs fourches.*

△ *Les variétés d'hellébores 'Ashwood Hybrid' offrent un choix superbe d'une quinzaine de coloris. Février est le meilleur moment pour les acheter, car on sait exactement à quoi s'en tenir. En vieillissant, les fleurs pendantes retombent plus ou moins selon la variété ; on choisira autant que possible celles qui montrent leurs étamines.*

▷ *Placez le panier d'hiver dans un endroit ensoleillé et vous viendrez admirer votre ouvrage quelques minutes par jour.*

PROGRAMME DE PRINTEMPS

JAN	FÉV	**MARS**	**AVR**	**MAI**	JUIN
JUIL	AOÛT	SEPT	OCT	NOV	DÉC

CE QU'IL VOUS FAUT

- ♣ 2 hellébores fétides (*Helleborus fœtidus* 'Wester Flisk') (1)
- ♣ 4 primevères rose-et-jaune (*Primula vulgaris*) (2)
- ♣ 2 anémones blanda bleues (*Anemone blanda* ♀) (3)
- ♣ Billes d'argile ou tessons de pot
- ♣ 20 litres de terreau universel

OU BIEN...

Les hellébores *H. argutifolius* ♀ ou *H. lividus* ♀ sont peut-être encore plus beaux, quoique un peu moins rustiques que *H. fœtidus*.

OU ENCORE...

H. fœtidus trouve un tout autre emploi page 139.

Urne en terre cuite

Les urnes adoptent les formes, les tailles et les matériaux les plus variés. Ce modèle ornemental de jardin en terre cuite est assez profond pour accueillir une riche collection de plantes. En général, le récipient peut se séparer de son piétement, ce qui rend le transport et l'installation plus faciles. Par mauvais temps, soit on enveloppera la terre cuite dans de la toile de jute, soit on acceptera que l'usure du décor fasse partie de son charme.

Hauteur totale 65 cm
Diamètre 40 cm
Poids 26 kg

Printemps

Si une urne ajoute une note de solennité à un cadre, il n'est pas pour autant nécessaire de la garnir d'une manière formelle ou guindée. Cette composition de printemps est comme un tableau de sous-bois. Le plus souvent, il vaut mieux éviter les grandes variétés de narcisses ou de tulipes parce que, dressées dans leur potée, elles donneraient prise au vent et ne laisseraient par ailleurs aucune place aux feuillages persistants qui pourraient les soutenir.

POINT DE MIRE

Il faut faire un effort d'imagination pour se représenter une urne ornementale, non sur un perron ou dans un patio, mais dans un massif. Pourtant, cette attraction vaut que l'on s'y consacre, car elle émergera d'un décor flatteur de feuillages et de fleurs. Ici, l'urne a été installée devant un prunus fleurissant avec les primevères et offrant un feuillage pourpre spectaculaire à la saison des tulipes. La plante subsistant au changement de décor était l'hellébore fétide 'Wester Flisk', dont les tiges et la base des feuilles sont pourprées. Elle tient très bien pendant des mois. On l'encadrera d'anémones bleues et de primevères rose-et-jaune.

△ *Garnissez la base des hellébores de primevères et d'anémones en pots.*

RIEN NE SE PERD

Tirer, l'année durant, le meilleur effet d'un jardin en pot nécessite un certain sens de la prévision. Ayant enterré en novembre dix tulipes doubles précoces *T.* 'Fringe Beauty', nous pouvions escompter pour le printemps des duos de rêves entre plantes à bulbes et de massif. Le bord jaune et froncé des pétales répondait au feuillage d'un *Milium effusum* 'Aureum' placé devant, contrastant à son tour avec les feuilles vert-bleu des tulipes. Après avoir quitté leurs pots, les anémones et les primevères ont été replantées dans un parterre boisé, où elles se sont bien installées. Rien ne se perd.

◁ *L'activité de l'urne sera maintenue au printemps grâce à des tulipes 'Fringed Beauty' et un Milium effusum 'Aureum'.*

▷ *En plaçant le vase au milieu d'un massif, sa composition sera magnifiée. Mais on veillera à garder un accès pour entretenir la potée et pour y installer de nouvelles plantes.*

▷ *Les pensées bicolores au cœur
framboise sont adoucies par les oreilles
d'ours grises et les tons pastel de
l'arrière-plan.*

Été

Il est des urnes dont l'effet repose sur la forme, d'autres sur l'ornementation. Ici, des guirlandes de fruits sont encadrées par les motifs à godrons de la base et du rebord. Bien qu'il soit fort dommage de dissimuler cette décoration, il l'est peut-être encore plus de se priver de ces incomparables plantes estivales à port étalé. En toute rigueur, il aurait fallu se contenter d'une seule espèce, par exemple une graminée d'ornement telle que la fétuque ou un buis taillé court, à 5 ou 7 centimètres de haut, d'allure contemporaine. Mais le tableau fleuri, plus romantique, l'a emporté.

DÉMÉNAGEMENT

Il y a les jardiniers toujours sur la brèche, chez qui rien ne reste en place très longtemps. L'urne a donc été transportée en mai vers un autre massif ensoleillé où étaient attendues de luxuriantes floraisons de clématites et de céanothes.

La nouvelle potée a accueilli un mariage de pensées rose foncé et de feuillages verts. 'Love Duet' est une pensée au centre framboise entouré de blanc.

On peut préférer une dominante de rose sur toute la fleur avec des taches foncées et des moustaches comme chez *Viola* 'Pink Panther'.

ENRACINEMENT

Il est facile de se laisser intimider par le calendrier strict des repiquages et des transplantations. Heureusement, la plupart des sujets élevés en conteneur que l'on installe en massif ou en parterre commencent leur nouvelle vie avec une motte de racines déjà mise en forme par le pot. Si on les déplace, même un an ou deux après, les racines doivent être restées intactes. Une bonne reprise du sujet est aussi assurée en principe, même en période de pleine croissance, notamment si – comme l'oreille d'ours – on l'a transplanté du massif en pot.

RÉUSSITE ÉPHÉMÈRE

Les roses d'Inde sont des fleurs que les jardiniers sensibles aux modes détestent. Aujourd'hui, surtout depuis que les dahlias emportent tous les suffrages, et font même l'objet d'un culte. Aucun massif à dominante rouge ne peut par exemple se passer de 'Bishop of Llandaff'). De gros bouquets impétueux de roses d'Inde orange apportent pourtant un éclat pimpant à un écrin de fleurs et de feuillages blancs et argentés, tandis que brachycomes et pétunias formeront l'accord parfait.

L'armoise à feuillage argenté *Artemisia ludoviciana* 'Valerie Finnis' ❦ s'est révélée trop rampante et un jeune plant d'eucalyptus paraissait à ce moment-là une bonne idée, mais ce mariage orageux a fini par étouffer les autres fleurs de l'urne. Les erreurs sont des leçons et le succès aura été éphémère.

◁ *Bien que les couleurs de cette composition se suffisent à elles-mêmes, un* Tanacetum ptarmiciflorum *'Silver Feather' apportera sa note argentée.*

▽ *Groupées, les cordylines ne manquent pas d'attirer l'œil au jardin.*

L'HEURE DES CORDYLINES

Une urne ne court guère de risque avec la cordyline. Son port symétrique, la régularité de son feuillage en font une plante de grande allure pour une potée un peu formelle. Si vous souhaitez encadrer une entrée, veillez à ce que les sujets soient de la même variété et le pendant l'un de l'autre.

Il ne faut pas oublier que les cordylines panachées et violacées doivent être abritées en hiver ; même une jeune *C. australis* ❦ peut perdre son toupet par temps froid. Les formes pourpres et bronze ont besoin de la compagnie de feuillages jaunes ou panachés pour ne pas risquer de passer inaperçues.

Voraces, les cordylines peuvent doubler de taille en une saison, aussi placera-t-on à leur base des plantes robustes telles que des pélargoniums rouge vif, un echeveria à feuilles charnues et, si on peut se le procurer, l'orpin exquis qu'est *Sedum alboroseum* 'Mediovariegatum'. Attention toutefois aux attaques des otiorrhynques particulièrement friands de cette plante.

Automne

Les fleurs de massifs d'été à longue floraison telles que les impatiens, les tagètes et les capucines peuvent cotoyer les plantes tardives, chrysanthèmes, nérines roses et érables du Japon.

Pour réussir cet étalement, il faut rajeunir la potée existante en déterrant les plantes épuisées, en ajoutant du terreau frais, puis en mettant en place un jeu de deux coloris. Il n'est pas nécessaire de dépoter les chrysanthèmes nains ; on peut caser leurs pots parmi le feuillage d'été, mais on ne doit pas oublier de les arroser.

CONTINUITÉ

On obtiendra d'emblée une potée adulte en prélevant ailleurs une tapissante bien développée, en l'occurrence la véronique arbustive à feuillage gris installée sur le devant. Depuis le printemps, elle a fait son chemin, accompagnant de son feuillage des plantations plus éphémères telles que les muscaris bleus et maintenant les impatiens roses. Le leucothoé forme également un entrelacs de grande allure avec ses feuilles panachées qui prennent des teintes prune et bronze avant que l'année ne s'achève. Le chrysanthème en place, mêlez à ses fleurs quelques plants de leucothoé tachetés de blanc. Cette plante et la véronique arbustive donneront une impulsion à la composition d'hiver, à moins que l'on ne préfère des hellébores pourpres émergeant d'un feuillage jaune (voir ci-dessous).

△ *Subtile, cette association de feuillages et floraisons d'automne n'en est pas moins spectaculaire.*

Hiver

Les compositions d'hiver risquent d'être décevantes si l'on n'y met pas le prix, car on pourrait alors passer à côté de plantes d'exception. Le skimmia à baies rouges a été une folie, mais il a donné en retour plus de six mois d'une fructification brillante. Les oiseaux n'y ont prêté aucune attention.

UNE AIDE PRÉCIEUSE

Euonymus fortunei 'Emerald 'n' Gold' non seulement soutient un peu les fleurs pendantes d'hellébores mais éclaire leur couleur sombre et les fruits rouges du skimmia tout en adoucissant de ses flots le rebord de l'urne. C'est beaucoup de travail pour une seule plante, aussi installera-t-on deux plants bien buissonnants, à choisir avec soin car le mode de croissance peut être très variable d'un sujet à l'autre.

L'hellébore a été acheté l'hiver précédent et, après la floraison, replanté dans un pot plus grand pour continuer son développement. Ses racines prennent la part du lion dans le vase, et c'est une raison de plus pour l'accompagner de plantes telles que le fusain, qui s'étendent à partir de racines relativement compactes et couvrent le sol nu si on les oriente convenablement.

◁ *On mettra les roses de Noël en valeur en plantant à leurs pieds le feuillage jaune d'un* Euonymus fortunei *'Emerald'n' Gold'.*

▷ *À l'automne, l'urne est littéralement submergée de fleurs et de feuillages dominant un tapis de genévrier bleu.*

JAN	FÉV	**MARS**	**AVR**	**MAI**	JUIN
JUIL	AOÛT	SEPT	OCT	NOV	DÉC

CE QU'IL VOUS FAUT

- ♣ I *Gaultheria procumbens* ♀ (I)
- ♣ I *Chamæcyparis lawsoniana* 'Tharandtensis Cæsia' (2)
- ♣ 10 anémones blanda (*Anemone blanda* ♀) (3)
- ♣ 4 pâquerettes roses doubles (*Bellis perennis*) (4)
- ♣ 2 *Saxifraga* 'Silver Cushion' (5)
- ♣ 2 *Aubrieta* 'Blue King' (6)
- ♣ Billes d'argile ou tessons de pot
- ♣ 40 litres de terreau comprenant 3 parts de terre de bruyère et I part de gros gravier

PROGRAMME D'ÉTÉ

JAN	FÉV	MARS	AVR	MAI	**JUIN**
JUIL	**AOÛT**	SEPT	OCT	NOV	DÉC

CE QU'IL VOUS FAUT

- ♣ I chou rouge 'Ruby Ball' (I)
- ♣ 3 soucis orangés (*Calendula* 'Touch of Red' ou autre) (2)
- ♣ 3 blettes à cardes rouges (3)
- ♣ I origan doré (*Origanum vulgare* 'Aureum' ♀) (4)
- ♣ Billes d'argile ou tessons de pot
- ♣ 40 litres de terreau universel

Bassine de zinc

Il fut un temps où ce type de récipient attendait dans la buanderie le jour de la lessive, ou du «tub», ce bain que l'on prenait dans une bassine de zinc ou de fer galvanisé. La lessiveuse a trouvé un nouvel usage et, grâce à ses larges dimensions, permet presque toutes les plantations, du moment qu'elle est percée de trous de drainage.

Hauteur 25 cm
Diamètre 60 cm
Poids 5 kg

Printemps

Décèlerait-on quelque désaffection pour ces jardins de rocaille croulant sous les pierres ? La préservation de sites karstiques naturels d'où l'on extrayait des blocs de calcaire sculptés par l'érosion y est sans doute pour quelque chose. En revanche, le jardin alpin en auge rencontre un succès croissant.

SCÈNE ALPINE

Bien que les plantes ne soient pas ici toutes de véritables alpines, elles n'en éclaireront pas moins un patio de mars à mai. On peut acheter tous ces sujets en fleurs au printemps. Le gaultheria à baies rouges, qui ne prospère qu'en terrain acide, et le chamæcyparis nain ont été déterrés début mars d'une composition d'hiver pour être installés dans la bassine. L'anémone a été mise en pot en automne pour être sûr d'obtenir des fleurs roses. Les pâquerettes doubles ont été plantées en même temps en massif et établies dans la bassine en mars.

△ *La culture des plantes alpines en pot ou en bac vous permet de satisfaire leurs exigences en matière de sol et d'exposition.*

Été

De tous les jardins que nous avons été amenés à concevoir et à entretenir, ceux qui nous ont apporté le plus de satisfaction sont les potagers ornementaux. Leur séduction tient à l'alliance du comestible et du décoratif. Rien n'empêche de restituer ce charme en pot, d'autant que les plantes potagères s'y développeront encore mieux. Cet aspect utilitaire conviendra parfaitement aux récipients de zinc. Dès le début du mois d'août, la lessiveuse était presque entièrement cachée sous un foisonnement de feuilles tendres, de cosses et de fleurs éclatantes.

PLANTER LES CHOUX

Avec ce programme, il est judicieux de se partager les semis entre jardiniers amis parce qu'on n'a besoin ici que d'un chou rouge. Semez celui-ci en mars, les soucis en avril et les blettes rouges en mai sous châssis froid ou en serre. Un semis trop précoce ou la transplantation peuvent faire monter les blettes en graine, aussi, en semant deux graines dans chaque alvéole de la caissette, on pourra installer directement les plants sans endommager les racines. Ajoutez une touffe d'origan doré sortie d'une plate-bande ou trois jeunes plants cultivés en pot. Début ou mi-juin, tout devrait être établi.

△ *Entourez l'origan doré d'Oxalis tetraphylla 'Iron Cross', de Geranium cinereum 'Ballerina' ♀, d'Hebe 'Margret' et de l'hélianthème le plus éclatant qui soit, Helianthemum 'Ben Ledi'.*

▷ *La bassine placée au milieu, ajoutez des haricots nains, du persil, des soucis et du maïs doux. Une fête des sens.*

Automne

Quand l'été indien colore les forêts d'érables évoquant irrésistiblement les couleurs de l'automne, il serait dommage de se priver des charmes de cette période de l'année alors que tant de feuillages restent bien vivaces, ne donnant de la saison des feuilles mortes que les signes les plus ténus. Avec un peu d'habileté, il est même encore possible d'intégrer dans les compositions quelques grimpantes d'été telles que les capucines.

LES SEPT MERVEILLES

Les sept merveilles d'automne sont toutes des plantes de potée exceptionnelles, même si aucune n'atteint la perfection. Ainsi, les deux variétés de choux décoratifs ne sont pas totalement rustiques, l'houttuynia sait se faire encore plus envahissant que la menthe, les limaces dévorent l'hosta, les bugles sont sujets au mildiou, les grandes capucines ont parfois du mal à hiverner et l'origan doré peut brûler au soleil.

◁ *Le peu de temps que l'on consacrera à comprendre les besoins de ses plantes ne sera pas perdu, car on sera récompensé par une foison de feuillages et de fleurs, telle que cette composition d'automne.*

FEUILLAGES D'AUTOMNE

Commencez par les trois choux décoratifs : les variétés du type 'Red Peacock' ont les feuilles finement divisées, blanches ou violettes ; 'Red Chidori' et 'Nagoya Mixed' ont des feuilles à bord frisé ; la race Northern Lights a le cœur dentelé comme une pivoine. Vous pouvez opter pour d'autres variétés de votre choix. Répartissez-les sur les bords autour de l'hosta encadré de l'houttuynia. Tous ces feuillages forment d'heureux contrastes. Ajoutez la capucine retombante et répartissez-la dans les feuillages. Enfin, comblez avec l'origan et le bugle.

Abritée au pied d'un mur, cette composition devrait continuer à fleurir jusqu'en novembre, mais, à l'annonce d'une gelée, il faudra rentrer les capucines.

Hiver

'Red Peacock' est sans doute le chou frisé décoratif le plus rustique, en partie parce que les variétés frisées sont plus résistantes que les autres, mais aussi sans doute parce que ses feuilles ne retiennent pas l'eau. On réutilisera les variétés frisées d'automne pour composer une palette hivernale de rose et de violet. On fera bien d'augmenter la capacité de drainage pour que la terre ne reste pas imbibée d'eau.

HARMONIE DE ROSE ET DE VIOLET

Une harmonie de rose et de violet se détachera sur un fond de feuillage gris qui répondra au matériau de la bassine. Le vaste choix de plantes offert comprend la plupart des bruyères d'hiver. Pour obtenir rapidement de la couleur, choisir la bruyère 'Kramer's Rote' l'une des premières à fleurir. Ses très longues grappes lui assurent un grand succès.

Avec leurs baies roses et pourpres, les pernettyas feront bonne figure sur le devant d'une composition et dureront jusqu'au printemps ; mais il faut aussi une plante mâle pour assurer la fructification l'année suivante.

△ *Une grande santoline ou deux petites occupant l'arrière-plan de cette composition d'automne évoqueront les cimes neigeuses.*

PROGRAMME D'AUTOMNE

JAN	FÉV	MARS	AVR	MAI	JUIN
JUIL	AOÛT	SEPT	OCT	NOV	DÉC

CE QU'IL VOUS FAUT

- ♣ I chou frisé décoratif 'Red Peacock' ou autre (1)
- ♣ I chou frisé décoratif 'Red Chidori (2)
- ♣ I chou décoratif race Northern Lights (3)
- ♣ I *Hosta* 'June' (4)
- ♣ 2 *Houttuynia* 'Joseph's Coat', 'Chameleon' ou autre (5)
- ♣ I grande capucine (*Tropæolum majus* 'Hermine Grashoff') (6)
- ♣ I origan doré (*Origanum vulgare* 'Aureum' ♀) (7)
- ♣ I bugle rampant (*Ajuga reptans* 'Catlin's Giant' ♀)
- ♣ Billes d'argile ou tessons de pot
- ♣ 40 litres de terreau universel

PROGRAMME D'HIVER

JAN	FÉV	MARS	AVR	MAI	JUIN
JUIL	AOÛT	SEPT	OCT	NOV	DÉC

CE QU'IL VOUS FAUT

- ♣ 2 choux frisés décoratifs 'Red Peacock' ou autre (1)
- ♣ 2 bruyères d'hiver (*Erica* x *darleyensis* 'Kramer's Rote' ♀) (2)
- ♣ I pernettya femelle rose (*Pernettya mucronata* ♀) (3)
- ♣ I ou 2 santolines (*Santolina pinnata* ssp. *neapolitana* ♀) (4)
- ♣ I *Leucothoe* 'Scarletta' (5)
- ♣ Billes d'argile ou tessons de pot
- ♣ 40 litres de terre de bruyère

Baquets de bois

Les baquets de bois sont destinés aux plantations, contrairement aux fûts qui n'ont pris place au jardin qu'après avoir été remplacés dans les brasseries par des barils d'aluminium. Trois douves forment un trépied au-dessous du dernier cercle. Leur bois offre une meilleure isolation que la terre cuite et retient mieux l'humidité.

GRAND BAQUET	BAQUET MOYEN	PETIT BAQUET
Hauteur 35 cm	Hauteur 30 cm	Hauteur 25 cm
Diamètre 40 cm	Diamètre 35 cm	Diamètre 30 cm
Poids 8 kg	Poids 7 kg	Poids 5 kg

PROGRAMME DE PRINTEMPS

JAN	FÉV	**MARS**	**AVR**	MAI	JUIN
JUIL	AOÛT	SEPT	OCT	NOV	DÉC

CE QU'IL VOUS FAUT

- ♣ 10 narcisses 'February Gold' ☙ (1)
- ♣ 10 jacinthes 'Delft Blue' (2)
- ♣ 10 jacinthes 'White Pearl' (3)
- ♣ Billes d'argile ou tessons de pot
- ♣ 20 litres de terreau universel

OU BIEN...

Pour tirer d'autres partis des jacinthes, voir page 122.

▷ *Au printemps, les jacinthes aux tiges perchées seront soutenues par des branchages.*

PROGRAMME D'ÉTÉ

JAN	FÉV	MARS	AVR	MAI	JUIN
JUIL	**AOÛT**	**SEPT**	**OCT**	NOV	DÉC

CE QU'IL VOUS FAUT

- ♣ 2 impatiens rouges doubles à feuillage panaché (*Impatiens* 'Dapper Dan') (1)
- ♣ 2 *Houttuynia* 'Joseph's Coat' ou 'Chameleon' (2)
- ♣ 5 célosies (*Celosia argentea* 'New Look') (3)
- ♣ 1 Fuchsia 'Thalia' (4)
- ♣ Billes d'argile ou tessons de pot
- ♣ 20 litres de terreau universel

OU BIEN...

Des gueules-de-loup pourpres telles qu'*Antirrhinum majus* 'Black Prince' peuvent remplacer les célosies et des amarantes les fuchsias.

Printemps

Disposer de trois baquets de hauteurs et de diamètres différents permet de les combiner ensemble, deux par deux ou isolément, pour accueillir par exemple un ensemble de jacinthes et de narcisses.

ACCORD PARFAIT

Les narcisses 'February Gold' et 'February Silver' peuvent fleurir au mois de février, dont ils portent le nom, sous un climat très doux. Mais, même en mars ou en avril, ces variétés restent exceptionnelles, résistantes, à floraison très longue et gardent un peu du caractère des espèces sauvages. Comme 'February Silver' manque souvent, on fera bien de passer commande chez un spécialiste des bulbes, car cette variété s'accorde à merveille avec les jacinthes 'Delft Blue' et 'White Pearl'. Narcisses et jacinthes doivent être plantés en septembre ou en octobre.

Été

Pour obtenir un ensemble élégant, il faut créer un lien entre les baquets. Ce peut être grâce à une même plante ou, plus subtilement, par la couleur. Ici, c'est le rouge qui domine, dont le ton est donné au premier plan par l'extraordinaire étoile du *Fascicularia*, auquel répondent dans un baquet rudbeckias, coléus, pélargoniums et impatiens. Le clou est sans doute le baquet à fuchsias, ici isolé pour être mieux apprécié.

QUATUOR EN ROUGE

Il faut un peu plus de soin pour associer une vivace non rustique (l'impatiente panachée), une vivace herbacée (l'houttuynia), une annuelle semi-rustique (la célosie) et une vivace semi-rustique (le fuchsia 'Thalia'), mais le résultat est quatre fois plus satisfaisant qu'une seule potée de pélargoniums. Semez les célosies en mars sur l'appui d'une fenêtre ou en serre chaude. Puis installez-les dans un endroit abrité et ensoleillé du début au milieu du mois de juin. Achetez des boutures ou plants d'impatiens avec des racines en fuseau, mais attendez juin avant de vous procurer l'houttuynia. Ajoutez un fuchsia bien développé et le quatuor sera complet. Le rouge ne commencera peut-être à poindre qu'en juillet, mais il brillera jusqu'en octobre.

▷ *Une vigne vierge et quelques pots vides agrémentent cette composition tout en rouge. Derrière, des feuillages gris, pourpres et jaunes flattent les acteurs flamboyants de l'été.*

CE QU'IL VOUS FAUT

* 1 chrysanthème bronze-crème
(*Chrysanthemum* 'Radiant Lynn) (1)
* 1 chrysanthème rose (*C.* 'Lynn') (2)
* 1 chou décoratif violet (3)
* 1 chou frisé décoratif violet (4)
* 1 chou décoratif rose et 1 blanc (5)
* 2 pernettya (*Pernettya mucronata* ♀) (6)
* Billes d'argile ou tessons de pot
* 16 litres de terre de bruyère pour le
baquet intermédiaire et 12 litres pour
le petit baquet

Automne

En octobre, quand les érables jettent tous leurs feux, les variétés d'érables du Japon attirent dans un jardin tous les regards. Sous leur frondaison de soleil couchant, le tableau sera complet avec des choux ornementaux – ici fort à propos car de nombreuses variétées sont d'origine japonaise – et des chrysanthèmes nains. Le style oriental paraît de rigueur. Pour prolonger le spectacle, des spots éclaireront les attractions. Ainsi, de chez soi, en ouvrant les rideaux, la scène apparaîtra ! Il est beaucoup plus facile qu'on ne le croit de monter ce genre de scène.

FEUILLES ET FRUITS

Chrysanthèmes nains et choux d'ornement s'accordent particulièrement bien : le rose avec le rose, le blanc avec le blanc, le jaune avec le violet, ton sur ton ou par couleurs complémentaires. Nous avons ajouté dans les baquets une troisième variété, le pernettya à fruits décoratifs, qui s'intègre parfaitement dans cette composition. Dans tous les cas, on choisira des sujets bien développés. Disposez les choux au bord de la potée en les inclinant vers l'extérieur pour ménager le point de vue. Ajoutez le pernettya, en taillant les tiges qui pourraient masquer les baies. Enfin, ouvrez les feuilles des choux et installez les chrysanthèmes à l'arrière.

△ *Parmi les premières couleurs de l'automne, on réservera une place aux fleurs de la fin de l'été telles que les capucines, les gaillardes, les tagètes, les dahlias, les coreopsis, les calcéolaires et Lobelia cardinalis.*

OU BIEN...

Des chrysanthèmes jaunes dominant
des choux violets offriront un
contraste plus tranché.

▷ *Tableau fastueux que forment ces chrysanthèmes 'Lynn' dominant des choux roses négligemment parsemés de feuilles d'érable.*

LUMIÈRES D'AUTOMNE

Alors, et ces fameux érables ? Par bonheur, ils s'établissent très bien en pot. C'est ainsi que nous avons un *Acer palmatum* 'Osakazuki' depuis quinze ans. Sa mobilité permet de le placer là ou il fera le meilleur effet. Si les gelées de la fin du printemps menacent, il suffit de le rapprocher de la maison. Les variétés à feuilles découpées sont aussi intéressantes et conviennent très bien à la céramique de style oriental. En compagnie de chrysanthèmes roses et de choux décoratifs, ils ont beaucoup de charme, même après avoir perdu leurs feuilles.

▷ *Les plantes particulières méritant un traitement spécial, on rassemblera les potées parmi les plantations permanentes en remplaçant au fur et à mesure celles qui ont fait leur temps.*

Hiver

Lorsqu'en hiver bordures et parterres commencent à s'éclaircir, il est temps d'imaginer des compositions lumineuses qui réchauffent et réconfortent. Les feuillages persistants viennent en tête, mais il existe aussi des plantes arbustives aux tiges colorées. Si on laisse passer l'occasion, elle ne se renouvellera pas. Comme on pourra le constater, même en l'absence de bulbes précoces, on peut créer l'étincelle. C'est l'affaire d'une heure tout au plus que de rassembler les pièces de ce puzzle.

CHOIX DE SAISON

Les jardineries et les pépiniéristes de qualité proposeront un choix de saison associant branchages colorés, baies, boutons, fleurs et feuillages. C'est justement le moment d'essayer de nouveaux accords, de mettre les plantes au banc d'essai. Tous les ans, j'achète un *Skimmia japonica* 'Rubella', un pernettya et quelques bruyères d'hiver. Tout le reste est cultivé en pot, ressource précieuse où puiser tous les ans, comme dans une provision d'ingrédients permanente pour faire la pâtisserie.

SOLITUDE OU CONVIVIALITÉ ?

Chacun est seul en face de ses choix : préfère-t-on les plantes dans un splendide isolement, trônant chacune dans son pot, ou, au contraire, installées de manière conviviale, comme ces feuillages persistants entrelacés page ci-contre ? Un œil attentif verra aussitôt quelle plante d'accompagnement apportera la touche artistique indispensable au jardinage d'agrément. Dans le plus grand baquet, on installera un choisya de belle taille à l'arrière-plan et l'on remplira l'espace disponible de feuillages persistants en les entremêlant pour bigarrer les couleurs. Deux sujets au moins devront déborder du baquet.

On peut aussi sélectionner trois espèces de petits conifères – un pyramidal, un globuleux et un à port étalé – pour former un ensemble classique, ou encore, garder cette composition et lui donner de la variété tout en laissant un de ces spécimens seul dans son baquet. Chacune de ces options donne d'excellents résultats.

△ *Pour choisir vos plantes, rassemblez les plus beaux specimens de saison et cherchez les accords parfaits.*

PROGRAMME D'HIVER

JAN	FÉV	MARS	AVR	MAI	JUIN
JUIL	AOÛT	SEPT	OCT	NOV	DÉC

CE QU'IL VOUS FAUT

- ♣ I *Skimmia japonica* 'Rubella' à maturité (1)
- ♣ I pernettya femelle (*Pernettya mucronata* ♀) (2)
- ♣ I bruyère à floraison hivernale (*Erica* × *darleyensis*) (3)
- ♣ I choisya (*Choisya ternata* 'Sundance') (4)
- ♣ I cyprès sawara (*Chamœcyparis pisifera* 'Filifera Aurea' ♀) (5)
- ♣ Billes d'argile ou tessons de pot
- ♣ 20 litres de terre de bruyère

OU BIEN...

Dans les régions froides, remplacez le choisya par *Thuja occidentalis* 'Rheingold' ♀.

POUR LE LONG TERME

Disposez dans le feuillage des bulbes en pots de 9 cm en février et mars.

▷ *Trois conifères adultes contrastés adouciront la dureté d'un sol nu.*

▷▷ *Si vous étoffez la composition par de nouvelles variétés, évitez les sujets trop petits qui passeraient inaperçus. Choisissez plutôt un type de plantes qui attirera l'attention depuis les fenêtres de la maison.*

◁ *Cet entrelacs de boutons colorés, de feuillages, de baies et de fleurs disposé dans un endroit chaud et abrité illuminera le jardin d'hiver pendant des mois.*

JAN	FÉV	MARS	AVR	MAI	JUIN
JUIL	AOÛT	SEPT	OCT	NOV	DÉC

CE QU'IL VOUS FAUT

- ♣ 10 tulipes doubles hâtives 'Peach Blossom' (1)
- ♣ 4 pensées violettes et blanches 'Artemis' (2)
- ♣ 1 euphorbe (*Euphorbia* x *martinii* ♀) (3)
- ♣ 2 ancolies à feuillage panaché (*Aquilegia vulgaris* groupe Vervæneana 'Woodside' ou autre) (4)
- ♣ Billes d'argile ou tessons de pot
- ♣ 20 litres de terreau universel

OU BIEN...

Les tulipes rouges et jaunes 'Fringed Beauty' sont éblouissantes avec des pensées jaunes. *Euphorbia amygdaloides* 'Purpurea' est à feuillage pourpre.

POUR LE LONG TERME

Remplacez les tulipes par deux cœurs-de-marie, *Dicentra* 'Bacchanal' ou 'Pearl Drops'.

Pots en terre cuite décorés

Les guirlandes caractérisent les pots de terre cuite italiens. Le rebord peut être nu ou ornementé. Des mascarons montrent parfois leur visage au milieu des festons. La composition de l'argile et les basses températures de cuisson les rendent moins résistants au gel que leurs équivalents français.

GRAND POT
Hauteur 50 cm
Diamètre 46 cm
Poids 25 kg

PETIT POT
Hauteur 33 cm
Diamètre 33 cm
Poids 18 kg

Printemps

On peut masser dans une seule potée de nombreux sujets gardant chacun sa personnalité ou faire un travail d'ensemble plus libre. Ces deux approches sont exploitées ici, avec leur trait commun : des tulipes et une belle euphorbe.

TOUR À TOUR

La timidité ne convient pas à ces tulipes et à ces pensées expansives. Divisez la potée en trois zones : le premier plan réservé aux pensées, le centre aux tulipes et l'arrière-plan aux feuillages, choisis dans des verts délicats et des jaunes clairs. Pour parfaire cette harmonie, établissez les tulipes en pots de plastique noir de 13 cm à l'automne. Joignez-les à la composition au début du mois de mars. Les premières pensées printanières de jardinerie sont les plus impressionnantes et s'épanouissent à point nommé au moment où les tulipes doubles commencent à sortir. Les pensées plantées en automne se seront étoffées, donnant des fleurs plus petites mais en abondance. L'euphorbe et les ancolies poindront aussi et leur jeune feuillage servira de décor. L'euphorbe sera encore en fleur lorsque les ancolies s'épanouiront au mois de mai.

FOLIE DE TULIPES

Les tulipes portent des feuilles beaucoup plus intéressantes que celles des narcisses. Certaines ont des reflets bleutés, d'autres, comme chez 'Red Riding Hood', présentent des veines foncées, mais les plus remarquables sont les variétés panachées telles que *T. prastans* 'Unicum'. Les tulipes 'Esperanto' à bords argentés (à gauche) restent plusieurs semaines à leur avantage, notamment lorsqu'elles se dressent au milieu de feuillages gris et de fleurs aux tons pastel. Celles à pétales vert et blanc offrent aussi des reflets rosés. On a intercalé des pensées 'Royal Delft' bleu et blanc, bordées par une véronique arbustive (*Hebe pinguifolia* 'Pagei' ♀). Ces deux plantes peuvent former le noyau d'une composition pour juin et juillet si l'on suit le programme de plantation présenté page ci-contre.

△ *Potée réussie avec une association très colorée de tulipes 'Peach Blossom', de pensées et d'euphorbes.*

◁ *Ici, les tulipes et les pensées forment un ensemble plus libre et plus paisible.*

Été

Jardiniers et horticulteurs débattent toujours du fameux « vide de juin ». C'est la période où l'on n'attend plus rien des giroflées et des tulipes, où les boutons de lis se font attendre. Quand aux massifs d'été ils n'en sont encore qu'à leurs premiers balbutiements. Même ainsi, il est toujours possible de trouver de bonnes solutions pour votre jardin en pots.

On trouve maintenant beaucoup de plantes vivaces herbacées tentantes, et c'est sans doute en juin et en juillet qu'on peut en tirer le meilleur parti, avec tous ces feuillages aromatiques de couleurs et de textures si variées. La ciboulette, par exemple, vaut aussi par la qualité de ses fleurs.

LE CADRE ADÉQUAT

Si l'on dispose, devant des feuillages denses, d'un petit massif d'annuelles rustiques qui se ressèment spontanément, comme le limnanthes, le souci ou la nigelle, on peut alors placer le pot au milieu de ces plantes, d'où il émergera majestueusement. Ce cadre sera très flatteur pour la ciboulette et le géranium qui ont remplacé les tulipes et l'euphorbe du printemps.

La suppression régulière des fleurs fanées et un apport hebdomadaire d'engrais liquide ont bien prolongé la floraison des pensées 'Royal Delft'. Leurs pétales à moustaches tachetés de bleu relevaient à merveille ceux du géranium.

RHODODENDRONS EN POT

Pour assurer la transition entre le printemps et l'été, un rhododendron nain conviendrait très bien car cette plante s'établit parfaitement en pot. Les hybrides de *R. yakushimanum* offrent entre autres qualités un feuillage très régulier et des fleurs exquises, souvent foncées à l'éclosion, qui s'éclaircissent en vieillissant.

Ce 'Yaku Queen' évoque une glace à la vanille au coulis de framboise, les pensées roses et prune entraînant ce jus de fruit rouge jusqu'au bord du pot. Une astrance panachée et des myosotis assurent une transition en douceur.

△ *Pour maintenir l'intérêt de la potée, pensées et véronique en arbre de la composition de printemps ont été conservées et sont ici soutenues par les ciboulettes et le géranium.*

▷ *Il serait dommage de passer à côté d'une telle fête. Donnez le ton avec un rhododendron nain.*

PROGRAMME D'ÉTÉ

JAN	FÉV	MARS	AVR	MAI	JUIN
JUIL	AOÛT	SEPT	OCT	NOV	DÉC

CE QU'IL VOUS FAUT

- 2 ciboulettes (*Allium schœnoprasum*) (1)
- 1 géranium (*Geranium ibericum*) (2)
- 4 pensées 'Royal Delft' ou autre (3)
- 1 véronique arbustive (*Hebe pinguifolia* 'Pagei' ♀) (4)
- Billes d'argile ou tessons de pot
- 14 litres de terreau universel (moins si la potée est reprise du programme de printemps)

OU BIEN...

Geranium himalayense 'Plenum' à fleurs doubles sera un compagnon raffiné pour x *Heucherella alba* 'Rosalie'.

POUR LE LONG TERME

Remplacez les ciboulettes et le géranium par la sauge en pot *Salvia farinacea* 'Strata' ou par une gueule-de-loup aux teintes pastel comme *Antirrhinum* 'Jamaican Mist'. Surfacez de terre fraîche lorsque vous remplacez une plante épuisée.

Automne

Beaucoup de jardiniers ne disposant que d'un espace réduit veulent tirer parti de la moindre parcelle de terrain, aussi toutes les plantes à feuillage, à fleurs (ou à fruits) colorés sont les bienvenues.

Le fuchsia, par exemple, comprend des bijoux tels que le rustique 'Versicolor' ; ses fleurs sont aussi élégantes que son feuillage rose et rouge taché de crème. Nous l'avons laissé retomber en cascade autour du pot au milieu d'une étonnante palette de feuillages, offrant l'une des compositions les plus satisfaisantes de l'année.

SEMIS DE MARS

Toutes ces plantes peuvent être achetées à la fin de l'été et au début de l'automne à l'exception des ricins, qui devront être semés en mars à l'intérieur au-dessus d'un radiateur ou sous mini-serre chauffée.

La plante et ses fruits ont beaucoup de charme mais sont très toxiques, aussi préférera-t-on peut-être cultiver un canna si l'on craint la curiosité des tout-petits. Gardez ces plantes à la chaleur jusqu'à la mi-juin où elles pourront sortir.

Rassemblez les autres plantes et installez-les en août. Lorsqu'on les verra se mêler fin septembre, on se félicitera de sa prévoyance.

△ Des feuillages persistants originaux apporteront une note de raffinement à la potée d'hiver.

△ L'orpin rampant Sedum ewersii forme le décor sur lequel se détachent le rose des choux ornementaux, leurs jeunes feuilles, leurs nervures et leurs côtes, tandis que l'aster nain, cultivé de semis, domine l'arrière-plan à une hauteur idéale.

Hiver

Il faut imaginer le plaisir de passer le pas de sa porte par une grise journée de décembre et d'être accueilli par un brasier de boutons rouges et de feuilles dorées saupoudrés de neige. Avec une potée aussi vive, rendue encore plus spectaculaire par l'éclairage coloré des feuillages persistants, est-il besoin d'un arbre de Noël ?

NOËL AUX TISONS

Disposez le pot dans un endroit chaud et abrité. S'il est entouré de feuillages persistants et d'arbustes fructifères, ce n'en sera que mieux. La clé d'une composition d'hiver réside dans le contraste, aussi choisira-t-on des plantes de formes, de couleurs et de textures variées.

Un genévrier à port étalé sera un bon départ pour adoucir le rebord. Les boutons du skimmia seront les braises, les bruyères jaunes les flammes. À l'arrière du pot domineront des feuillages persistants colorés.

◁◁ Liez cet éventail de couleurs par d'autres feuillages tels l'hosta et le bergenia sur le devant et une cordyline panachée à l'arrière-plan, montée sur un pot.

PROGRAMME D'AUTOMNE

JAN	FÉV	MARS	AVR	MAI	JUIN
JUIL	AOÛT	SEPT	OCT	NOV	DÉC

CE QU'IL VOUS FAUT

- ♣ 1 fuchsia (*Fuchsia magellanica* 'Versicolor' ♀) (1)
- ♣ 3 ricins (*Ricinus communis* 'Carmencita') (2)
- ♣ 1 armoise (*Artemisia ludoviciana* 'Silver Queen') (3)
- ♣ 3 choux décoratifs violets race Northern Lights ou autre (4)
- ♣ 2 coléus (*Solenostemon* 'Wizard Mixed' ou autre) (5)
- ♣ Billes d'argile ou tessons de pot
- ♣ 20 litres de terreau universel

OU BIEN...

Pour un autre fuchsia de qualité, voir page 22.

PROGRAMME D'HIVER

JAN	FÉV	MARS	AVR	MAI	JUIN
JUIL	AOÛT	SEPT	OCT	NOV	DÉC

CE QU'IL VOUS FAUT

- ♣ 1 genévrier à feuillage gris (*Juniperus virginiana* 'Grey Owl' ♀) (1)
- ♣ 1 *Skimmia japonica* 'Rubella' mâle ♀ (2)
- ♣ 1 bruyère à feuillage doré (*Erica arborea* 'Alberts Gold' ♀) (3)
- ♣ 1 osmanthe panaché (*Osmanthus heterophyllus* 'Goshiki') (4)
- ♣ 1 cyprès nain (*Chamæcyparis pisifera* 'Squarrosa Lombarts') (5)
- ♣ Billes d'argile ou tessons de pot
- ♣ 20 litres de terreau universel

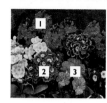

| JAN | FÉV | MARS | AVR | MAI | JUIN |
| JUIL | AOÛT | SEPT | OCT | NOV | DÉC |

CE QU'IL VOUS FAUT

♣ 10 jacinthes doubles 'Hollyhock' (1)
♣ 8 variétés d'auricules de massif
(*Primula auricula*) (2)
♣ 2 violettes (*Viola* 'Columbine') (3)
♣ Film plastique
♣ Billes d'argile ou tessons de pot
♣ 10 litres de terreau universel

OU BIEN...

La violette 'Rebecca' a également
beaucoup de charme avec ses fleurs
mouchetées.

▽ *On obtiendra un effet différent en
s'inspirant de la couleur de la jardinière.
Pensées 'Imperial Antique Shades',
primevères pastel et Crocus vernus
'Vanguard' forment un ensemble charmant
pour la fin mars et le mois d'avril.*

Jardinière de bambou

*Le bambou, à la fois résistant et souple, est le
matériau privilégié des clôtures et des écrans dans les
jardins japonais. Cette jardinière peinte offre un abri
naturel neutre et ses dimensions lui permettent
d'accueillir trois rangs de plantes sur un appui de
fenêtre, une table, dans la maison ou en plein air.*

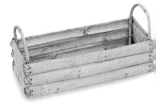

Hauteur 15 cm
Largeur 20 cm
Longueur 53 cm
Poids 1 kg

Printemps

Un fût ou un pot profond ne conviennent ni aux
plantes à massif ni aux petits bulbes de printemps.
Une bonne composition est donc une question de
proportion autant que de couleur et de style. Un
décor japonais serait on ne peut plus
approprié ici, mais c'est un thème
hollandais qui a été choisi.

PEINTURE HOLLANDAISE

Le large éventail de couleurs et les formes
picturales des fleurs désuètes présentées
page ci-contre évoquent les tableaux des
primitifs hollandais. Il n'a pas fallu des
mois pour réaliser celui-ci, tout au plus
une demi-heure.

Il faut commencer en automne parce
que les jacinthes naines doubles ne sont
pas disponibles au printemps et rien ne
peut les remplacer.

Plantées en pots de 9 cm, elles ont
hiverné au pied d'un mur chaud.
Alors qu'elles commençaient à
peine à montrer leurs couleurs,
elles ont rejoint la jardinière en
compagnie des auricules et des
violettes mouchetées.

▷ *Une association romantique et de
caractère : des jacinthes doubles, des
auricules et des violettes. Des
giroflées 'TomThumb' seraient aussi
à leur place et diffuseraient leur
parfum.*

CE QU'IL VOUS FAUT

♣ 2 gueules-de-loup roses tapissantes
(*Antirrhinum molle*) (1)
♣ 1 *Aptenia cordifolia* 'Variegata' (2)
♣ 2 bugles rampants à feuillage coloré
(*Ajuga reptans* 'Burgundy Glow' ♀) (3)
♣ 4 pétunias rose pâle (*Petunia* race
Celebrities 'Chiffon Morn' ou autre) (4)
♣ Film plastique
♣ Billes d'argile ou tessons de pot
♣ 10 litres de terreau universel

OU BIEN...

Au lieu des gueules-de-loup, essayez un
brachycome à fleurs roses. Pour une
composition tout en bleu, on prendra
un ageratum avec une violette 'Sorbet
Yesterday Today and Tomorrow' et une
lobélie double comme *Lobelia erinus*
'Kathleen Mallard'.

POUR LE LONG TERME

On peut faire hiverner
les gueules-de-loup et l'aptenia
en serre à l'abri du gel ou à l'intérieur,
au bord d'une fenêtre
à l'ombre.
Plantez le bugle en pleine
terre humide
avec une nummulaire à
feuilles jaunes
(*Lysimachia nummularia* 'Aurea')
et, au printemps,
prélevez des
pousses racinées
à installer en pots.

Été

À l'achat, quelque 60 % des plantes de massif sont
destinées à des potées, la couleur la plus populaire
étant le rose ; l'orange est la moins appréciée, ce
qui est dommage. La couleur a une influence
incontestable sur les humeurs et les émotions et
l'humeur est ici plutôt aux couleurs vives : violets
et bleus, orange et jaunes...

ÉTUDE EN ROSE

Les gueules-de-loup à port retombant sont une
nouveauté, même si nous n'avons jamais réussi à
réaliser de ces suspensions retombant en cascades
que montrent les catalogues. Quoi qu'il en soit,
pour lancer le thème de la composition, un
premier plan associant des gueules-de-loup, un
aptenia et un bugle 'Burgundy Glow' offrait ce qu'il
fallait de ruissellement et de rose. Ces trois plantes
peuvent s'acheter au printemps.
En complément, des pétunias clairs conviendront
s'ils ne sont pas trop exhubérants. *P.* race
Celebrities 'Chiffon Morn', cultivé de semis en
mars, se montre très délicat. Pincez régulièrement
les fleurs fanées et éliminez tout puceron sur les
tiges et les boutons dès son apparition, avant que
la plante ne soit envahie.

▽ *Les figures à moustaches et les couleurs extraordinaires
des violettes 'Bambini' adoucissent l'éclat des fleurs
orange.*

△ *Les jardinières de bambou ont une place toute trouvée
sur des appuis de fenêtre, où on pourra les aligner.*

MINIATURES D'ÉTÉ

Si vous aimez les fleurs orange et les semis
"maison", alors cette composition comblera vos
désirs. L'œillet d'Inde 'Safari Tangerine' offre sans
doute l'orange le plus éclatant qui soit dans le
monde des fleurs. Mais utilisez-le avec précaution
en le tempérant, par exemple, avec des lobélies
bicolores 'Blue Splash' et des tanaisies à feuillage
jaune comme *Tanacetum parthenium* 'Aureum'.

▷▷ *Les gueules-de-loup retombantes sont
certainement appelées à un brillant avenir.
Ici, elles forment l'accord parfait avec le
bugle, les pétunias roses et l'aptenia
panaché.*

JAN	FÉV	MARS	AVR	MAI	JUIN
JUIL	AOÛT	SEPT	OCT	NOV	DÉC

CE QU'IL VOUS FAUT

♣ 2 chrysanthèmes roses nains
(*Chrysanthemum* 'Lynn' ou autre) (1)

♣ 3 colchiques (*Colchicum*
'Waterlily') (2)

♣ 3 impatiens blanc et rose (*Impatiens*
'Pantomime Mixed') (3)

♣ Film plastique

♣ Billes d'argile ou tessons de pot

♣ 10 litres de terreau universel

OU BIEN...

Essayez *Colchicum speciosum* ♀ à la
place des 'Waterlily', assez rares et
coûteux, car il s'agit d'une fleur double
parmi les plus recherchées.

POUR LE LONG TERME

Replantez les colchiques et les
chrysanthèmes ensemble en pleine
terre au soleil ; ajoutez des asters et
des anémones naines du Japon.

OU ENCORE...

Cette colchique est traitée d'une façon
toute différente page 80.

Automne

Si l'on jardine un œil fixé sur le guide et l'autre sur
le calendrier, on est certain de passer à côté de
bien des plaisirs procurés par cette activité. Il y a
fort à parier que, dans l'avenir, une part de plus en
plus importante du commerce horticole se fera par
correspondance, notamment la vente à massifs.
On peut également se procurer les bulbes sur
catalogue et, si l'on souhaite une plante plus rare
ou plus originale, ce moyen paraît également le
plus sûr. Toutes les plantes de cette composition
d'automne sont arrivées par la poste, certaines
dans les meilleurs délais.

POTÉE POSTÉE

Rien n'empêche d'acheter en septembre des
chrysanthèmes bien développés sur le point de
fleurir. On trouvera également d'énormes bulbes
de crocus d'automne roses, avec des variétés telles
que 'Lilac Wonder'. Si l'on ajoute ses propres
impatiens (ou celles d'un jardinier ami), on a un
excellent point de départ pour une jardinière de
balcon ou une potée basse.

Une méthode différente a été employée ici. Les
impatiens et les chrysanthèmes nains ont été
achetés en plants. Ils sont arrivés en avril et ont
poussé en pots en attendant leur installation. Un

△ *Un rayon de soleil aidant, ces colchiques ont vite
récupéré de leur voyage postal et, d'anémiques qu'elles
étaient, elles ont retrouvé leur rose naturel.*

pépiniériste a fourni la délicieuse colchique
'Waterlily', aussitôt établie au milieu de cette
voluptueuse nuée de rose. Quoi de plus
satisfaisant ?

UN VOYAGE FATIGANT

Le colchique dispose dans le bulbe de réserves
suffisantes pour se passer d'eau et d'engrais. Et
c'est heureux car, au déballage, ceux qui avaient
été envoyées par la poste étaient au bord de
l'asphyxie.

◁ *On accordera une nouvelle vie aux impatiens en les
mariant à des chrysanthèmes d'automne. Rentrez la
jardinière à l'annonce de gelées.*

△ *Les tiges des colchiques 'Waterlily' sont plus courtes que
celles des variétés plus vigoureuses comme les 'Lilac Wonder'.
Mettez donc ces bulbes au premier plan dans la jardinière.*

△ *Placez la jardinière à la place d'honneur sur une table et laissez le parfum capiteux des jacinthes envahir la maison.*

PROGRAMME D'HIVER

JAN	FÉV	MARS	AVR	MAI	JUIN
JUIL	AOÛT	SEPT	OCT	NOV	DÉC

CE QU'IL VOUS FAUT

- ♣ 10 bulbes de jacinthes à forcer (*Hyacinthus orientalis* 'Anna Marie' ♛) (1)
- ♣ 5 primevères des fleuristes (*Primula* race Charisma ou autre) (2)
- ♣ Film plastique
- ♣ Billes d'argile ou tessons de pot
- ♣ 10 litres de terreau universel

OU BIEN...

Choisissez vos jacinthes préférées, puis accompagnez-les de primevères ton sur ton ou contrastées.

POUR LE LONG TERME

Pour tenir compagnie aux primevères, remplacez les jacinthes par des narcisses forcés comme 'Tête-à-Tête'. Les jacinthes forcées fleurissent en grappes plus petites, mais il est quand même intéressant de replanter les bulbes en pleine terre.

OU ENCORE...

Pour un autre mariage parfait avec les primevères roses, voir page 82.

Hiver

La plupart des maisons ont un porche couvert, une baie vitrée, une véranda ou une serre, en somme un endroit à l'abri des intempéries qui accueillera ce bac odorant plein de jacinthes forcées et de primevères des fleuristes. On aura toujours le loisir de sortir la jardinière de bambou par beau temps et de la rentrer les mauvais jours. Dans un espace réduit, le parfum des jacinthes risque de se révéler entêtant.

FORÇAGE

Si vous décidez de forcer vous-même les bulbes de jacinthes, gardez à l'esprit que le succès dépend du développement d'un système racinaire adéquat avant l'installation à la chaleur. On trouve des bulbes préparés au forçage dès la mi-septembre pour une floraison à Noël. Plantez-les en pot individuel de 9 cm et laissez-les au froid dans l'obscurité (le pied d'un mur orienté au nord est la situation idéale). Lorsque les tiges florales ont 6 ou 7 cm de haut, il est temps de les forcer au chaud.

PARFUMS D'HIVER

Sans être aussi répandues que les chrysanthèmes en pot, les primevères sont cultivées de semis par les pépiniéristes d'avril à juillet pour être vendues à l'automne, en hiver et au printemps. Certaines variétés sont étonnantes. On choisira une palette de couleurs en harmonie avec des jacinthes forcées telles que ces 'Anna Marie'.

◁ *À mesure que les primevères fanent, on peut les replanter en pleine terre à mi-ombre. Enrichissez la terre de compost ou d'écorces compostées et étoffez par de nouvelles primevères et des bulbes de printemps nains. Surveillez de près les limaces.*

CE QU'IL VOUS FAUT

♣ 5 erysimums (*Erysimum cheiri* race Bedder 'Orange Bedder') (1)

♣ 10 tulipes simples hâtives 'Generaal de Wet' (2)

♣ 3 ou 4 tanaisies à feuilles dorées (*Tanacetum parthenium* 'Aureum') (3)

♣ 4 pensées orangées 'Padparadja' ou autre (4)

♣ 10 narcisses 'Modern Art' ou 'Flower Drift' (5)

♣ Billes d'argile ou morceaux de polystyrène pour combler la moitié inférieure du tonneau

♣ 30 litres de terreau universel

POUR LE LONG TERME

Conservez les pensées et les tanaisies du bord et remplissez l'arrière-plan d'œillets d'Inde orange et jaunes et d'un bidens rampant 'Golden Eye'.

OU ENCORE...

Pour utiliser les mêmes tulipes dans une harmonie de couleurs beaucoup plus libre, voir page 119.

Tonneau d'arrosage

Les tonneaux d'arrosage montés sur chariot utilisés jusqu'au début du siècle pourraient redevenir un moyen efficace de stocker et de distribuer l'eau si les contraintes climatiques nous obligeaient à utiliser des eaux ménagères décantées pour l'arrosage. Ce n'est donc pas par pure nostalgie que cet objet ancien a été acquis à une vente aux enchères. Le tonneau d'arrosage présente un intérêt bien réel en horticulture.

Hauteur 50 cm
Largeur 40 cm
Longueur 53 cm
Poids 30 kg

Printemps

Quel luxe de pouvoir disposer d'une potée que l'on peut déplacer dans le jardin comme une brouette. Cette qualité fait jouer au cadre un rôle au moins aussi important que le contenu. Au printemps, les narcisses, botaniques ou horticoles seront l'âme d'une composition en jaune et blanc ou en rose et blanc. Ici, le choix s'est porté sur une délicieuse association d'orange et de jaune qui assure le succès de toute potée de bonne taille.

UN PEU DE ZESTE

Une palette s'inspirant de la couleur des oranges et des citrons apportera un éclat certain à une composition de printemps. Certains narcisses actuels ont effectivement des allures de coupes de fruits avec leurs étamines d'un orange presque indécent. Mais si l'on se sent inspiré par ce thème, il faudra s'y prendre presque un an à l'avance, car on ne trouvera les giroflées qu'en mélange à la fin de l'été.

Semez ces dernières en juin, pincez les pousses et transplantez-les pour arrêter la racine pivotante, ce qui encouragera la ramification. Ou bien mettez en pot deux mélanges de couleurs en septembre, attendez l'apparition des fleurs et ne sélectionnez que les jaunes et les orange.

AVANT LA FLORAISON

Enterrez en pots de 15 cm les bulbes de tulipes et de narcisses par trois ou quatre, ce qui permettra de les transplanter en boutons avec une grande précision. Les bulbes de narcisses sont plus sujets au dessèchement que ceux des tulipes, le plus tôt sera donc le mieux pour eux ; le meilleur moment est en septembre. Les tulipes, elles, peuvent attendre novembre sans en pâtir.

▷ *Au début du mois d'avril, plantez les bulbes à leur place définitive ; complétez par des pensées orange et des tanaisies à feuillage doré au premier plan. Sous les rayons du soleil, ce sera le point le plus brillant du jardin.*

◁ *Le jeune feuillage rouge cuivré de Photinia x fraseri 'Red Robin' forme un merveilleux décor de fond pour une palette de jaune et d'orange. Même si l'on ne dispose pas d'une brouette d'arrosage qui surélève la potée, un vase, une jarre ou un pot dressé sur un lit de briques conviendront.*

▷ *On peut tout oser dans un massif de printemps. Cette palette de jaune et d'orange des plus appétissantes se double du parfum suave des tulipes et des giroflées.*

Été

Le succès de nombreuses compositions repose sur une palette réduite. Parfois, au contraire, il est bon de laisser éclater les couleurs, notamment lorsqu'il s'agit de mélanges de pensées ou d'immortelles qui ont beaucoup de caractère et d'allure. S'il est des plantes capables de convertir les enfants aux charmes de l'horticulture en pot, ce sont certainement celles-là. Plantez-en une belle quantité pour obtenir une potée vraiment multicolore.

MÉLANGES DE COULEURS

Les immortelles 'Bright Bikini Mixed' sont ornementales, mais rien n'empêche un amateur d'arrangement floral de cultiver quelques plants dans un coin du jardin pour composer en hiver des bouquets de fleurs séchées.

Ce mélange de huit couleurs atteint 40 centimètres de haut et convient beaucoup mieux à un décor que des variétés plus élancées mais dégingandées. Et c'est un grand plaisir que de les associer aux violettes bicolores.

Semez les immortelles et les violettes en mars sous châssis ou à l'intérieur (trois graines par pot de 15 cm) jusqu'au tout début de la floraison, puis mettez-les en place pour tout l'été.

△ *Plantez les immortelles élevées en pots sur les deux tiers de la surface du conteneur avant d'installer les violettes au premier plan.*

PARFAIT À LA FRAMBOISE

On aura une autre apothéose en août et septembre grâce à l'alléchante association d'œillets de Chine 'Strawberry Parfait' ou autre, de chou ornemental pourpre, de lobélies multi-colores et de l'originale *Matricaria* 'Santa Lemon'. Vous ne pourrez semer la matricaire qu'en mars ou en avril, mais cela en vaut la peine.

'Stawberry Parfait' est une de ces variétés d'œillet de Chine cultivées par les pépiniéristes pour relancer les potées qui commencent à s'essouffler en été. Il est difficile de résister à ce mélange de couleurs. Si l'on en veut suffisamment, il vaut mieux les semer soi-même.

◁ *Cette séduisante harmonie de feuillages et de fleurs vives récompense largement des efforts consentis pour la réaliser.*

△ *Pour empêcher la formation des capsules de graines, inspectez régulièrement le feuillage des pensées et supprimez les fleurs dès que les pétales commencent à se recroqueviller.*

▷ *Ces frêles violettes conviennent mieux pour dissimuler le rebord d'une potée que des pensées aux corolles plus imposantes. Leur association avec les immortelles est des plus heureuses.*

Automne

Le jardinier doit parfois lutter contre la sécheresse, les maladies et les parasites, contre une plante trop exubérante ou au contraire chétive. Dans ce dernier cas, le massif présente un vide disgracieux qu'il faut combler. La solution consiste à y placer une potée d'automne où de belles plantes de saison seront mises en valeur. En voyant le résultat, on risque d'être tenté d'exploiter l'idée pour créer une véritable attraction de massif. Et tant pis si l'on ne dispose pas d'une arroseuse ancienne, une brouette fera parfaitement l'affaire.

△ *Les chrysanthèmes achetés en jeunes plants racinés à la fin du printemps et au début de l'été commenceront à poindre dès septembre et fleuriront jusqu'en plein automne.*

QUELLE COULEUR JOUER

Recherchez dans le massif ou le parterre la plante qui donnera le ton. Ce peut être un chou rose ou un dahlia, un rudbeckia jaune, un hortensia bleu, un aster ou toute autre plante à feuillage. Puis associez des chrysanthèmes nains ou des asters qui fourniront la trame de la composition.

Ici, deux sedums sont installés au pied de chrysanthèmes roses et, pour adoucir les bords, des fétuques bleues. Des renouées rampantes (*Polygonum*), avec leur feuillage patiné de rouge et de brun, déborderont de la potée en cascades. Enfin, dissimulez sur le devant quelques gros bulbes de colchiques. Les fleurs pointeront à travers le feuillage et s'épanouiront au ravissement de tous.

PROGRAMME D'AUTOMNE

JAN	FÉV	MARS	AVR	MAI	JUIN
JUIL	AOÛT	SEPT	OCT	NOV	DÉC

CE QU'IL VOUS FAUT

♣ 2 chrysanthèmes nains (*Chrysanthemeum* 'Lynn' ou autre) (1)
♣ 2 sedums (*Sedum spectabile* 'Brilliant' ♀) (2)
♣ 2 fétuques bleues (*Festuca glauca* 'Elijah Blue') (3)
♣ 2 *Polygonum affine* 'Donald Lowndes' ♀) (4)
♣ 4 colchiques (*Colchicum* 'Lilac Wonder') (5)
♣ Billes d'argent ou morceaux de polystyrène pour combler la moitié inférieure du tonneau
♣ 30 litres de terreau universel

Hiver

Si vous ne voulez pas vous retrouver avec un séquoia géant, préférez une variété naine qui en revanche sera certainement plus coûteuse ; sachez toutefois qu'à moitié prix vous trouverez un sequoia de haie. Un conifère de qualité, comme ce sapin nain bleu à port étalé, à son prix, car c'est toujours grâce à beaucoup de savoir-faire qu'il a vu le jour.

MON BEAU SAPIN

Cette variété de haut de gamme, avec ses branches aux aiguilles bleues se déployant au ras du sol, semblait faite pour cette composition. En novembre, le chariot a été roulé jusque sous les fenêtres de la maison. À la place d'honneur, le sapin est soutenu par des pensées bleu et noir et un houttuynia. Mais ce dernier devra être remplacé par un conifère doré nain après la première grosse gelée.

▷ *Des plantes d'appoint animent le pied de la potée et donnent son assise à l'ensemble.*

◁ *Ici, la brouette d'arrosage a vraiment créé l'attraction au milieu d'une nuée de feuillages d'hiver bigarrés.*

PROGRAMME D'HIVER

JAN	FÉV	MARS	AVR	MAI	JUIN
JUIL	AOÛT	SEPT	OCT	NOV	DÉC

CE QU'IL VOUS FAUT

♣ I sapin nain à port étalé (*Abies procera* 'Glauca Prostrata') (1)
♣ 5 pensées bleu et noir race Universal ♀ (2)
♣ I *Houttuynia cordata* 'Chameleon' (3)
♣ Billes d'argile ou morceaux de polystyrène pour combler la moitié inférieure du tonneau
♣ 30 litres de terreau universel

CE QU'IL VOUS FAUT

♣ 2. *Corydalis flexuosa* 'Purple Leaf'(1)
♣ 5 primevères roses (*Primula vulgaris*) (2)
♣ Billes d'argile ou tessons de pot
♣ 18 litres de terreau universel

OU BIEN...

Essayez d'associer la corydale bleue et la fougère *Athyrium niponicum* var. *pictum*. Ces deux plantes préfèrent l'ombre.

POUR LE LONG TERME

Les corydales fleuriront plusieurs semaines après les primevères. On peut, par exemple, compléter avec un cœur-de-Marie, *Dicentra* 'Pearl Drop' à feuillage gris et fleurs blanches délicates.

▽ *Placez ce pot à mi-ombre pour éviter au jeune feuillage les brûlures du soleil printanier.*

Pot vernissé bleu

Ces poteries brutes vernissées sont d'une imperméabilité à toute épreuve, contrairement à ce qu'on prétend souvent à leur sujet. D'origine chinoise, elles ont grandement contribué au succès du jardinage en pots et permis notamment d'exploiter le thème de la couleur. Ce pot droit hexagonal, à lui seul digne d'intérêt, convient à des compositions de fleurs et de feuillages couvrant généreusement le rebord.

Printemps

De simples pots de plastique bleus peuvent être aussi utiles que des terres cuites ou un vase de pierre, et une plante ordinaire donner autant de plaisir qu'un spécimen exceptionnel. Tout dépend de ce que l'on fait du pot et de la plante, comment on en tire le meilleur parti visuel. On peut aussi préférer un hélianthème tout simple à une plante fragile qui devra passer la moitié de sa vie sous verre pour se protéger du froid et de l'humidité. Pour cette composition printanière, c'est pourtant une rareté qui a été choisie, plante de potée aux références indiscutables destinée à faire grande impression dans nos jardins.

Hauteur 33 cm
Diamètre 33 cm
Poids 20 kg

ORIENT ET OCCIDENT

À l'état sauvage, *Corydalis flexuosa* croît en Chine où il obéit au même rythme de dormance estivale que lorsqu'il est cultivé dans nos régions. On ne s'inquiétera donc pas de le voir disparaître en juillet. Cette merveille offre un feuillage tacheté de pourpre ; si on l'installe en compagnie de primevères roses hybrides, on aura ainsi formé l'association d'une plante directement venue à son milieu naturel avec une autre obtenue au contraire au terme de longues années de croisements.

DOMINANTE

Il ne faut pas se rendre esclave de sa couleur de prédilection. Ici, c'est le jaune qui l'emporte. Des pensées jaune et pourpre à cœur noir apporteront une touche de magie. Cette dominante (à gauche) accueille aussi une euphorbe à feuilles pourpres, une lysimaque dorée et une reine-des-prés à feuilles dorées, enfin un hosta 'Ground Master' panaché.

Été

Les conseillers de grandes jardineries sont souvent sollicités pour recommander une plante qui fleurirait 365 jours par an. Il faudrait une seule plante, mais qui donnerait des fleurs, des fruits, prendrait les couleurs de l'automne, aurait des tiges brillantes et un feuillage persistant ; bien sûr, si elle pouvait être odorante, ce serait encore mieux, et il faudrait qu'elle puisse pousser absolument n'importe où. Le *Cotoneaster lacteus* ♀, réunissait quatre de ces conditions.

Mais, depuis quelques temps, un nouvel arbuste, l'*Hypericum androsæmum* 'Gladys Brabazon' présente des états de service impressionnants. Il peut se targuer d'un feuillage irrégulièrement panaché de blanc et de rose, d'une floraison jaune suivie d'une fructification de baies rouges devenant noires à maturité et persistant tout l'hiver. Voici comment a été mise en valeur cette variété de millepertuis.

PLANTER LE DÉCOR

Il existe des arbustes d'été à port étalé que l'on peut installer au centre d'une potée et entourer de plantes qui viennent s'enlacer dans ses rameaux couverts de fleurs ou de fruits. Hormis ce millepertuis, on peut utiliser le ciste (*Cistus*), la véronique arbustive (*Hebe*), la potentille et les rosiers rampants.

Les ageratums en pots sont achetés en juillet pour former un tapis bleu lavande comblant tous les vides et couvrant la nudité des rameaux de l'arbuste. Un lis 'Little Joy' élevé en pot forme de ses feuilles veinées une toile de fond parfaite pour les baies du millepertuis et s'enracine avec bonheur à l'ombre de la céramique bleue. Avoir à sa disposition au moins une douzaine de lis nains permet de replanter instantanément le décor. Une graminée à feuillage effilé et un *Anaphalis* gris et blanc complétaient la composition. Ce spectacle coloré doit vivre jusqu'aux gelées si l'on change régulièrement les plantes du fond.

▷ *Une fois la potée de baies mise en place, disposez un cadre végétal dont les feuillages et les fleurs formeront un ensemble avec les branches de fruits qui s'y mêleront.*

◁ *Le doux coloris des corydales s'accorde superbement à ce pot vernissé bleu.*

▽ *Pour inhabituel que ce soit, un grand arbuste à fruits peut s'entourer de petites plantes à massif élevées en pots.*

Automne

Un jardinier passionné sera attentif aux nouveautés horticoles, même si toutes ne tiennent pas leurs promesses. Les bruyères communes paraissent en tout cas appelées à un brillant avenir car leur place comble le vide créé entre les dernières variétés florifères de l'été et celles de l'hiver. Elles allient le charme de leurs couleurs avec les feuillages panachés des véroniques arbustives et le pourpre des choux frisés (qui ont un rôle certain à jouer dans cette poterie bleue). Toutes ces plantes ont été entrelacées en un foisonnement de couleurs chaudes qui n'ont rien à envier aux vibrantes floraisons de l'été.

UN FESTIVAL DE COULEURS

Commencez par disposer deux choux décoratifs de belle taille, pourpres ou roses, au centre du pot en les inclinant pour que leurs cœurs divergent légèrement. Installez-les derrière les deux véroniques arbustives panachées ; sous climat froid, remplacez-les par un fusain panaché, plus rustique. Mêlez le leucothoé aux feuilles du chou frisé et placez enfin les bruyères, sur le bord et à l'arrière.

◁ *On profitera de cette fête automnale de pourpre, de vert et de blanc s'épanouissant dans le bleu-gris de la poterie vernissée.*

Hiver

Malgré la vigilance des merles, les fruits de cette composition peuvent tenir six bons mois ou plus si la potée est installée près de la maison dans un endroit passant. On ne peut en attendre autant des baies de pyracantha, dont les oiseaux font leurs délices.

BAIES MULTICOLORES

Recherchez trois couleurs de fruits bien contrastées. Celles du laurier-tin, bleues, sont étonnantes, souvent cachées dans le feuillage ; n'hésitez pas à élaguer quelques rameaux pour les laisser apparaître. Seules les plantes adultes, bien développées, présenteront à la fois fruits et boutons. Les acores à feuilles jaunes effilées apporteront une touche brillante et offriront un vif contraste avec les baies rouges du skimmia.

▷ *Qu'a-t-on besoin de fleurs lorsqu'on peut obtenir par les seuls feuillages et les baies une telle intensité de couleurs ? Un autre acore placé au pied répondra au premier.*

▷ *Une seule grande plante persistante à fruits décoratifs formera le pivot de cette composition d'hiver. À son pied se mêleront le skimmia, l'acore et le pernettya.*

PROGRAMME DE PRINTEMPS

| JAN | FÉV | MARS | AVR | MAI | JUIN |
| JUIL | AOÛT | SEPT | OCT | NOV | DÉC |

CE QU'IL VOUS FAUT

- ♣ 10 narcisses à couronne étalée (*Narcissus* 'Lemon Beauty') (1)
- ♣ 10 tulipes 'Purissima' groupe Fosteriana (2)
- ♣ 5 pâquerettes doubles blanches (*Bellis perennis* 'Tasso White') (3)
- ♣ 5 arabis blancs 'Schneechaube' (4)
- ♣ Billes d'argile ou tessons de pot
- ♣ 20 litres de terreau universel

OU BIEN...

Une autre association heureuse de bulbes sera composée de tulipes jaune et blanc 'Sweetheart' avec des narcisses 'Tricolet', une étonnante variété à trompette étalée, évoquant un œuf au plat.

Corbeilles à motifs de vannerie

Les corbeilles en terre cuite à motifs tressés déploient avec élégance leurs formes évasées. Ces poteries, généralement garanties contre le gel, procureront des années de plaisir. Mais attention à leurs anses qui sont assez fragiles.

Printemps

Bien que les bulbes de printemps fassent excellente impression dans une paire de corbeilles en terre cuite, ces dernières, placées côte à côte et identiques, manqueront de caractère. On transformera complètement le décor en surélevant l'une et en plaçant l'autre devant. Les narcisses 'Lemon Beauty', la tête timidement penchée, comme hésitant à exhiber leurs somptueuses corolles, ont une certaine hauteur qui permet de mieux profiter de leur parfum.

On peut harmoniser les corbeilles avec une même couleur ou une même plante. À la période de floraison, associez 'Lemon Beauty' aux tulipes 'Purissima', hâtives et courtes. Elles ne révèlent pleinement leurs cœurs jaunes qu'en plein soleil. À l'automne et au printemps, plantez à leurs pieds des pâquerettes blanches doubles et des arabis. En tapissant la corbeille de gravier, on évitera les coulées de terre mouillée et l'on renforcera un peu le pied des tiges.

CORBEILLE RONDE
Hauteur 23 cm
Diamètre 35 cm
Poids 9 kg

PANIER
Hauteur 14 cm
Largeur 25 cm
Longueur 30 cm
Poids 5 kg

GRANDE CORBEILLE
Hauteur 38 cm
Diamètre 43 cm
Poids 22 kg

△ *À l'automne, plantez les bulbes dans des pots de plastique de 15 cm. Repiquez-les dans leurs pots définitifs fin mai en éliminant les fleurs chétives ou avortées pour que chaque corbeille soit parfaite.*

◁ *Recherchez des variétés de narcisses et de tulipes de même hauteur et de même couleur et fleurissant simultanément. Rassemblez-les dans des coupes assorties.*

Été

Les œillets de poète, aux boutons ébouriffés et au parfum de clou de girofle, sont un élément essentiel dans une composition d'été un brin romantique. Ils ont besoin de soleil et d'un bon drainage. Si votre jardin n'offre qu'une terre argileuse humide, un pot leur conviendra mieux. On peut associer plusieurs variétés en les plaçant soit chacune dans son pot, soit toutes ensemble, des plantes complémentaires assurant leur soutien.

POTÉE AROMATIQUE

Obtenu en 1980, l'œillet rouge profond 'Houndspool Cheryl' est une variété relativement récente mais pleine de caractère. Pour le mettre pleinement en valeur et exploiter le thème de la composition parfumée, on l'adossera à un décor de plantes aromatiques panachées. Les passionnés ne pourront plus se passer de l'origan à feuillage panaché.

△ *Pour obtenir une masse d'œillets vraiment impressionnante, les sujets disponibles en pots de 9 cm ne suffisent pas. Ici, on a acheté des boutures racinées au printemps précédent et on les a cultivées pendant un an.*

▽ *Les œillets sont des plantes éminemment sociables, qu'il ne faut pas hésiter à marier à d'autres gloires printanières.*

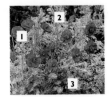

PROGRAMME D'ÉTÉ

JAN	FÉV	MARS	AVR	MAI	JUIN
JUIL	AOÛT	SEPT	OCT	NOV	DÉC

CE QU'IL VOUS FAUT

- ♣ 5 œillets de poète rouge vif (*Dianthus barbatus* 'Houdspool Cheryl' ♀ ou autre) (1)
- ♣ 3 origans panachés (*Origanum vulgare* 'County Cream' ou autre) (2)
- ♣ 2 *Brachycome multifida* (3)
- ♣ Billes d'argile ou tessons de pot
- ♣ 30 litres de terreau universel

OU BIEN...

On peut remplacer l'origan panaché par l'œillet d'Inde 'Lemon Gem'. Pour une floraison rouge bicolore, l'œillet 'Laced Monarch' est un délice.

POUR LE LONG TERME

Dès la fin de juillet, les œillets ne fleuriront plus, on les replantera donc en pleine terre au pied de rosiers et de campanules, et on complétera par des pétunias parfumés tels que les 'Mirage Lavender' de la race Mirage.

▷ *Exploitez le thème des senteurs en plantant la corbeille à anse de trois thyms que l'on apprécie particulièrement, un ou deux à feuilles dorées ou panachées et à floraison de couleurs contrastées. Tous résistent à la sécheresse et offrent des touffes agréables au toucher.*

PROGRAMME D'AUTOMNE

JAN	FÉV	MARS	AVR	MAI	JUIN
JUIL	AOÛT	SEPT	OCT	NOV	DÉC

CE QU'IL VOUS FAUT

♣ 2 orpins (*Sedum* 'Herbstfreude', syn. 'Autumn Joy') (1)

♣ 2 orpins blancs (*Sedum spectabile* 'Stardust') (2)

♣ 1 fétuque dorée (*Festuca glauca* 'Elijah Blue') (3)

♣ 1 fétuque jaune (*Festuca glauca* 'Golden Toupee') (4)

♣ Billes d'argile ou tessons de pot

♣ 30 litres de terreau universel

PROGRAMME D'HIVER

JAN	FÉV	MARS	AVR	MAI	JUIN
JUIL	AOÛT	SEPT	OCT	NOV	DÉC

CE QU'IL VOUS FAUT

♣ 10 *Crocus sieberi* 'Tricolor' (1)

♣ 4 bruyères roses à floraison hivernale (*Erica carnea* 'Pink Mist') (2)

♣ Billes d'argile ou tessons de pot

♣ 10 litres de terreau universel

POUR LE LONG TERME

Taillez les bruyères en mai et coupez les feuilles de crocus jaunies. Replantez toute la corbeille en pleine terre.

OU ENCORE...

Pour tirer le meilleur parti des bruyères à floraison hivernale, voir aussi page 93.

Automne

On parle beaucoup du réchauffement de la planète et de la diminution des précipitations, ce qui est effectivement un sujet de préoccupation pour les jardiniers. Le jardinage en pots présente cet immense avantage d'utiliser l'eau au seul profit des plantes. Pour peu qu'elles puissent se passer d'arrosage pour une brève période, il est alors possible de prendre de courtes vacances. Toutes les plantes de cette potée d'automne supportent la sécheresse.

JARDIN SEC

Feuilles et tiges charnues et brillantes témoignent de la bonne résistance à la sécheresse de plantes telles que les orpins. Il en va de même des graminées comme les fétuques, dont le bord des feuilles s'enroule pour conserver le maximum d'humidité. On évitera les déperditions en mêlant au terreau des granulés rétenteurs d'eau et en couvrant la surface d'une épaisse couche de gravier.

Ici, deux orpins bien contrastés sont installés, 'Herbstfreude' à l'arrière parce que c'est le plus imposant, puis deux plantes plus basses qu'encadrent les graminées.

△ *Pour profiter de l'orpin à mesure que ses inflorescences se décolorent et se dessèchent, ne les taillez pas après la floraison. Les petites graminées prennent aussi des allures fantomatiques sous le givre.*

▷ *Associez les plantes grasses et les feuillages filiformes qui non seulement dureront tout l'été mais fleuriront à la fin de la saison et en automne.*

Hiver

Pour obtenir le maximum d'effets dans un petit jardin, plantez des bulbes au milieu de plantes tapissantes. Dans la nature, les campanules poussent parmi les anémones des bois, alors pourquoi se contenter d'un simple tapis de bruyère quand on peut l'émailler de fleurs délicates ? Cette solution convient aussi bien aux potées qu'aux massifs.

TAPIS FLEURI

Évitez les bulbes très feuillus et à hautes tiges tels que les variétés de jacinthes, narcisses ou tulipes dépassant 25 centimètres. Le crocus, avec ses feuilles fines et ses fleurs précoces, est l'espèce idéale à planter en compagnie de bruyères basses à floraison d'hiver. Mises en pots en automne, les plantes seront installées dans la corbeille juste avant la floraison, comme ici, ou bien bulbes et bruyères seront plantés en automne directement dans le terreau. Fermé ou épanoui, ce crocus tricolore est sans pareil. Un surfaçage de gravier fin empêchera le terreau d'être lessivé sur les bords.

▷ *Ne choisissez que des bruyères basses si vous voulez que les crocus émergent de leurs rameaux emmêlés.*

CE QU'IL VOUS FAUT

- ♣ 20 narcisses 'Jetfire' (1)
- ♣ 5 pensées bleu et blanc race Turbo ou autre(2)
- ♣ Film plastique
- ♣ Billes d'argile ou tessons de pot
- ♣ 16 litres de terreau universel

OU BIEN...

Pour une harmonie pastel, essayez le narcisse 'Topolino' crème et citron avec les pensées 'Imperial Pink Shades'.

OU ENCORE...

Le narcisse 'Jetfire' trouve d'autres partenaires page 105.

PROGRAMME D'ÉTÉ

| JAN | FÉV | MARS | AVR | MAI | **JUIN** |
| **JUIL** | **AOÛT** | **SEPT** | OCT | NOV | DÉC |

CE QU'IL VOUS FAUT

- ♣ 5 impatiens de Nouvelle-Guinée mélangées (1)
- ♣ 4 bégonias mélangés (*Begonia crispa marginata*) (2)
- ♣ Film plastique
- ♣ Billes d'argile ou tessons de pot
- ♣ 16 litres de terreau universel

OU ENCORE...

On retrouve *Begonia crispa marginata* page 106.

Bac en bois

Il suffit d'un minimum de savoir-faire pour réaliser soi-même bacs ou jardinières en bois. Ce bac repose sur un piétement amovible et peut être couvert d'un petit toit qui le transforme en chalet. Doublez-le de plastique ou montez-le autour d'une coque de plastique rigide pour isoler la terre du bois.

Hauteur 25 cm
Largeur 23 cm
Longueur 60 cm
Poids 6 kg

Printemps

On dirait les narcisses 'Jetfire' faits pour les jardinières. Ces bulbes nains précoces, robustes et à grandes fleurs, ont gardé des espèces sauvages une longue trompette étroite et une collerette réfléchie qui révèlent leur parenté avec *Narcissus cyclamineus* ♀.

On trouve en avril de nombreuses variétés de pensées qui peuvent les accompagner. Choisissez des pensées jaune clair ou orange (ou les deux), pour une harmonie de tons, ou bleues pour contraster avec les narcisses. Mettez cette composition en place à l'automne ou, comme ici, au printemps.

▷ *Pour une plantation de printemps, commencez la culture des bulbes de narcisses en automne et installez-les dans la jardinière en mars, après avoir acheté les pensées.*

Été

Les impatiens de Nouvelle-Guinée sont incontestablement plus exotiques et raffinées que les variétés à petites fleurs que nous connaissons. On en propose une gamme de couleurs toujours

plus vaste en semences, mais les plus spectaculaires, bicolores, à feuillage sombre ou panachures éclatantes, sont des cultivars catalogués qui doivent être achetés en plants.

AFFINITÉS

Les bégonias s'entendent particulièrement bien avec les impatiens car ils ont la même nature généreuse et prospèrent aussi bien au soleil qu'à l'ombre. Également sensibles au froid et aux gelées, on ne les sortira pas avant début juin.

Les bégonias dont les cormes secs ont été placés sur un appui de fenêtre au-dessus d'un radiateur ou sous mini-serre chauffée fleuriront en juillet. Alignez-les à l'arrière du bac pour que les impatiens puissent les soutenir, mais vous devrez peut-être tuteurer les fleurs les plus lourdes.

▷ *Au fur et à mesure de leur floraison printanière, les trompettes des narcisses 'Jetfire' prennent une couleur orange intense.*

CE QU'IL VOUS FAUT

♣ I pélargonium 'Ville de Berne' (I)
♣ I pélargonium à feuillage panaché
(*Pelargonium crispum* 'Variegatum' ♀)
(2)
♣ I pélargonium 'Mr Henry Cox ♀ ou
autre (3)
♣ I pélargonium 'Princess Alexandra'
(4)
♣ 3 coléus à feuillages mélangés (5)
♣ I *Tradescantia fluminensis* 'Albovittata'
(6)
♣ I *Tradescantia zebrina* 'Purpusii' syn.
Zebrina purpusii ♀ (7)
♣ Film plastique
♣ Billes d'argile ou tessons de pot
♣ 16 litres de terreau universel

OU BIEN...

Une sauge à feuillage panaché comme
Salvia officinalis 'Tricolor' fera
impression en plante retombante au
premier plan. *Iresine lindenii* ♀ offre des
feuilles rouge et rose uniques et,
comme le tradescantia, c'est une
plante d'intérieur qui saura profiter de
ses vacances au grand air du jardin.

POUR LE LONG TERME

Rentrez la jardinière et faites-lui passer
l'hiver dans un endroit bien éclairé.
Au printemps, toilettez et rempotez
les plantes anciennes ou bouturez
les pousses les plus vigoureuses.

◁ *Les seuls
feuillages d'un
pélargonium
panaché et d'un
coléus forment un
duo qui ne passe
pas inaperçu.*

Automne

Pour égayer l'automne, essayez ce mélange éclectique de pélargoniums à feuillages colorés auquel s'associeront les coléus et un tradescantia rampant au premier plan. Nombre de pélargoniums cultivés pour leur feuillage fleurissent aussi très honorablement. Prolifiques, les *Pelargonium zonale* nains ont des feuilles vertes qui présentent des taches sombres en forme de fer à cheval.

CABINET DE VERDURE

À l'apparition de ce chalet miniature, on s'attendrait à y voir des cascades de géraniums suisses. Ils seraient effectivement à l'aise si la place ne manquait pas au pied du bac mais, ici, leur luxuriance les mettrait à l'étroit. En choisissant des pélargoniums, il faut savoir que des variétés panachées comme 'Lady Plymouth' ♀ et 'Happy

▷ *Étoffez par de
beaux feuillages ce
chant du cygne de
la fin de l'été et de
l'automne.*

Thought' ♀ peuvent remplir à elles seules une jardinière en une saison. Une espèce dressée à feuillage odorant telle que *Pelargonium crispum* 'Variegatum' est la bienvenue dans une telle association. Comblez avec de jeunes plants enracinés. 'Mr Henry Cox' a été bouturé en juillet. Le coléus peut être semé ou bouturé. Une plante adulte qui aura passé l'hiver sur un appui de fenêtre ensoleillé donnera d'excellentes boutures au printemps. Des variétés cataloguées achetées en plants auront des feuilles aux couleurs spectaculaires souvent très découpées. On peut les acheter par correspondance ou à des expositions florales de début d'été.

Le tradescantia pousse étonnamment bien en plein air, mais il est prudent de le bouturer avant l'annonce des premières gelées afin de constituer des réserves pour l'année suivante.

CE QU'IL VOUS FAUT

- ♣ 1 bruyère alpine (*Erica carnea* 'R. B. Cooke' ♀) (1)
- ♣ 1 bruyère (*Erica* x *darleyensis* 'Jack H. Brummage') (2)
- ♣ 1 bruyère alpine (*Erica carnea* 'Pink Spangles' ♀) (3)
- ♣ 30 branches de feuillages, persistants, gris ou à fruits décoratifs (4)
  Il s'agit de : *Cotoneaster horizontalis*, *Elaeagnus* x *ebbingii* 'Limelight', *Euonymus fortunei* 'Golden Prince', *Hebe albicans*, *Hebe* 'Red Edge', *Helichrysum italicum* ssp. *serotinum*, un houx argenté (*Ilex*)
- ♣ Film plastique
- ♣ Billes d'argile ou tessons de pot
- ♣ 16 litres de terreau universel

POUR LE LONG TERME

Remplacez au fur et à mesure les branchages fatigués. Si l'on a enterré des godets, on peut y planter quelques bulbes précoces. À hauteur des regards, ils n'en seront que mieux accueillis.

Hiver

Au moment de la pleine floraison des bruyères fin janvier et février, c'est parfois un casse-tête de trouver les partenaires qui conviendront le mieux en décor de fond. Par bonheur, une solution peu conventionnelle est peut-être à portée de main, car la plupart des jardins disposent des feuillages persistants et à fruits décoratifs qui fourniront la « haie » bigarrée alignée à l'arrière-plan de la jardinière.

L'absence de racines à ces branchages ne signifie pas qu'ils ne dureront qu'un jour ou deux. Au contraire, enfoncés dans un terreau bien humide, les rameaux resteront frais pendant des semaines dans l'atmosphère raréfiée de l'hiver. On peut aussi enterrer des godets, les arroser et y planter des petites fleurs d'hiver.

BRASSÉES D'HIVER

Commencez par d'opulents bouquets de bruyères à floraison hivernale pour former le massif du premier plan. Pour changer, on a choisi ici une variété à feuillage jaune, car ces bruyères ne fleurissent que dans les roses, rouges, violets et blancs. Elles ont été achetées en automne, généreusement garnies de leurs boutons de fleurs pointus.

Plantez en espaçant bien les plants et en poussant fermement leurs racines contre l'avant du bac ; comblez les vides avec du terreau. Disposez maintenant une sélection de branchages persistants, com-prenant notamment des feuillages gris et argentés qui mettront les rouges en valeur et apporteront une note givrée. Pour réchauffer un peu le tout, ajoutez du jaune avec, par exemple, un elœagnus et un fusain.

◁ *Des touffes de belle taille ont plus d'impact que des petites plantes.*

▷ *Tassez le terreau puis piquez les rameaux colorés au fond de la jardinière.*

CE QU'IL VOUS FAUT

♣ 10 tulipes rouges du groupe Greigii
(*Tulipa* 'Red Riding Hood' ♀ ou autre) (1)

♣ 10 tulipes jaunes doubles hâtives
(*Tulipa* 'Monte Carlo' ♀') (2)

♣ 6 myosotis (3)

♣ 2 ancolies à feuillage panaché
(*Aquilegia vulgaris* groupe Vervæneana
'Woodside') ou 2 astrances panachées
(*Astrantia major* 'Sunningdale
Variegated') (4)

♣ 1 fusain panaché 'Blondy' (5)

♣ 1 spirée (*Spiraea japonica*
'Goldflame') (6)

♣ Billes d'argile ou tessons de pot

♣ 60 litres de terreau universel

OU BIEN...

Essayez aussi les étonnantes variétés
de tulipes viridifloras dont les pétales
sont veinés de vert, de jaune et de
blanc, par exemple 'Spring Green' ♀.

Grand bac de terre cuite

*Le plus petit pot que je possède est une terre cuite
ancienne à boutures de 4 cm de diamètre. Il passerait
inaperçu à côté de ce monstre de 55 cm de diamètre qui fait
partie d'une paire de pots italiens, acquis il y a une douzaine
d'années, que les gelées ont laissés intacts. J'aime disposer
ce géant dans les parties sèches du jardin parmi les
arbustes ; je le comble de fleurs et de feuillages qui ne
survivraient pas au ras du sol.*

Hauteur 50 cm
Diamètre 55 cm
Poids 45 kg

Printemps

Un pot de cette taille pourrait accueillir une
centaine de tulipes, mais, seules, elles risqueraient
d'être un peu écrasantes, pour ne pas dire raides et
compassées.

Ici, la composition a été animée avec un brin de
poésie par des myosotis et des ancolies dominant
un parterre de feuillages colorés.

COULEURS ÉCLATANTES...

Les 'Red Riding Hood' sont aux tulipes ce que les
'Tête-à-Tête' sont aux narcisses. Robustes et à
longue floraison, elles sont disponibles en
bulbes en automne et en pots au printemps. Leur
feuillage veiné est fascinant et, cultivées en pots,
voilà des tulipes qui ne profiteront pas qu'aux
limaces.

Mais autant de rouge éclatant doit être tempéré ; ce
sera le rôle du fusain panaché et des ancolies. En
automne, plantez en pot des bulbes de tulipes très
jaunes pour les joindre avec précision à la potée
géante au début d'avril.

Installez la spirée, puis les tulipes jaunes avec le
reste des feuillages, en réservant le premier tiers du
pot aux 'Red Riding Hood'.

Puis repiquez des semis spontanés de myosotis
prélevés dans un massif.

...OU RAFFINÉES

Pour une harmonie de couleurs plus subtile,
associez le très dynamique *Erysimum* 'Bowles'
Mauve' à des tulipes 'Purissima', entourés de
muscaris, de pâquerettes doubles et d'aubriètes.
Choisissez un fond qui mettra ces couleurs en
valeur.

▷ *De l'imagination
dans ce pot géant
avec ces tulipes
'Purissima' dressées
au milieu de giroflées
'Bowles' Mauve' ♀,
qu'entoure une
bordure de fleurs
printanières.*

△ *La grande variété de feuillages dorés disponibles au
printemps s'étend de la spirée cuivrée au fusain panaché
en passant par l'ancolie mouchetée.*

▷ *Ce flamboiement de tulipes prend une allure
sophistiquée grâce aux feuillages panachés et au nuage de
myosotis qui se sont multipliés d'eux-mêmes.*

CE QU'IL VOUS FAUT

♣ 5 œillets de poète (*Dianthus barbatus* 'Auricula-Eyed Mixed') (1)

♣ 5 bleuets nains rouge rosé (*Centaurea cyanus* 'Florence Red' ou autre) (2)

♣ 6 carillons (*Campanula medium* 'Canterbury Bells Mixed') (3)

♣ 2 orpins (*Sedum telephium* ssp. *ruprechtii*) (4)

♣ 2 verveines roses 'Cleopatra Pink' ou autre (5)

♣ Billes d'argile ou tessons de pot

♣ 60 litres de terreau universel

OU BIEN...

Sélectionnez des variétés en mélange tels que 'Midget Mixed' pour les bleuets ou 'Tapis indien' pour les œillets de poète si vous souhaitez une gamme de couleurs plus étendue. L'orpin 'Ruby Glow' ♀ conviendra également en bordure.

POUR LE LONG TERME

Gardez en place tout l'été l'orpin et la verveine, qui formeront une composition de plantes tapissantes. Rabattez les œillets et replantez-les en massif ; vous obtiendrez ainsi l'année suivante une floraison qui aura doublé.

Été

Les œillets de poète sont parmi les fleurs de jardin les plus sous-estimées et il semble qu'il y ait à cela une raison. En effet, fleurissant en juin et juillet, ils peuvent prendre la place réservée à des plantes de massif d'été. On peut pallier cet inconvénient en leur octroyant un pot de bonne taille et en leur associant des fleurs de jardins de curé comme les bleuets et les campanules. Cette composition a donné un crescendo de couleurs très en avance sur les associations de pétunias et d'œillets d'Inde.

MASSIF RUSTIQUE

Trop souvent, les jardiniers sont si absorbés en mai et en juin par la préparation de leurs potées d'été qu'ils ne s'avisent pas de tirer parti des annuelles rustiques semées à l'automne. C'est la saison idéale pour semer des annuelles rustiques telles que nigelles, soucis et bleuets, mais aussi, ce qui est moins courant, des bisannuelles comme les campanules carillons et les œillets de poète. On pourra en semer et en planter un peu plus pour un repiquage en potée au printemps qui donnera une agréable floraison en début d'été.

Mettez en place les œillets de poète au fond et les bleuets nains sur le devant, puis les campanules carillons qui se balanceront au milieu de cette nuée de fleurs.

À L'OMBRE DES FEUILLAGES

Un ensemble de feuillages tels que l'hosta, le rodgersia et les fougères peut être sculptural, frappant et, en même temps, par jour de chaleur, très rafraîchissant. Les hosta ont aussi l'avantage de leur floraison estivale. La variété 'Frances Williams' est à peu près sans rival.

▷ Au pied du pot garni de frondaisons épaisses se bousculent des variétés plus légères.

△ *Semez les campanules carillons avec les giroflées en juin ou achetez les plants à l'automne. Les sujets à corolle double sont assurés de rencontrer le plus grand succès.*

▽ *En avril, déterrez les campanules carillons et repiquez-les en pots de plastique jusqu'à l'apparition des inflorescences, ou installez-les directement dans la potée.*

▷ *Il est peut être original de déterrer d'un massif des annuelles et bisannuelles rustiques pour en garnir une potée, mais on sera surpris de l'essor que ces plantes donneront à la saison avec des floraisons qui recouvriront presque leur pot.*

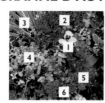
Automne

Il n'y a pas lieu de s'affoler si les tiges des pensées n'en finissent plus, si le brachycome atteint le sol et si le feuillage gris de l'hélychrisum devient incontrôlable.

Ces mauvais sujets peuvent revenir à la raison en présence d'authentiques plantes d'automne si on les surélève sur un pot retourné pour les présenter sous un meilleur jour.

RECYCLAGE

Les tiges trop dégingandées des pensées se dissimuleront opportunément dans le feuillage du chou frisé ornemental et de l'iris panaché. Plantez au-dessous un hélychrisum à feuillage gris ou jaune clair prélevé sur une composition d'été. Disposez les pensées puis, comme en un drapé, le brachycome qui aura été transplanté d'un autre pot, enfin quelques plantes nouvelles venues, comme l'orpin 'Ruby Glow'. En plantant serré et en bénéficiant des derniers feux des plantes à massif d'été, vous obtiendrez un résultat surprenant.

Hiver

Parmi les plantes persistantes de belle taille et de bonne qualité, disponibles chez les pépiniéristes ou en jardinerie, figurent les conifères qui ont grandi en plein air et ont été transplantés en pots de plastique. On doit les manipuler par leur pot, car certains n'ont pas encore bien développé leurs racines depuis leur transplantation.

PLANTATION SERRÉE

Une formule facile pour une potée d'hiver consiste à installer trois plantes à feuillage contrastées derrière deux variétés florifères. Pour que les tons prune et pourpre ne se perdent pas au milieu de feuillages sombres, on les éclaircira avec un feuillage doré.

Ce pot géant a été garni avec un de ces conifères, en l'occurrence un cyprès de Lawson doré à port spiralé, véritable cône de lumière et colonne vertébrale de la composition d'hiver. Puis est venu l'accompagner un cyprès de Lawson 'Pembury Blue' (le meilleur cultivar bleu), incliné à 45 degrés pour qu'il déborde du pot. On renoncera à installer un petit skimmia dans un pot de cette taille où il aura l'air de poser. Il vaut mieux dans ce cas faire la dépense somptuaire d'un grand sujet qui offrira ses baies écarlates pendant six mois de fête.

△ *Placez le pot sur une dalle ou un socle de bois. Même de robustes feuillages persistants apprécieront l'abri de ce havre ensoleillé, protégé du vent glacial.*

◁ *Les gloires de l'été qui se sentent esseulées peuvent être rassemblées avec les plantes d'automne dans un pot de bonne taille pour constituer un nouveau spectacle coloré.*

PROGRAMME D'HIVER

JAN	FÉV	MARS	AVR	MAI	JUIN
JUIL	AOÛT	SEPT	OCT	NOV	DÉC

CE QU'IL VOUS FAUT

- ♣ 1 cyprès de Lawson bien développé (*Chamæcyparis lawsoniana* 'Golden Triumph' ou similaire) (1)
- ♣ 1 cyprès de Lawson bleu (*Chamæcyparis lawsoniana* 'Pembury Blue' ♀) (2)
- ♣ 1 *Skimmia japonica* 'Rubella' ♀ (3)
- ♣ 1 *Olearia macrodonta* ♀ (4)
- ♣ 1 hellébore pourpre (*Helleborus orientalis*) (5)
- ♣ Billes d'argile ou tessons de pot
- ♣ 60 litres de terre de bruyère

OU BIEN...

Un hamamélis jouera magnifiquement le rôle du cyprès doré, surtout si l'on ajoute une frange de bruyères d'hiver au bord du pot.

▽ *Lorsqu'elles ont achevé leur floraison, remplacez les roses de Noël par des narcisses nains tels que ces frêles 'Minnow'. Garnissez le pied de myosotis pour flatter le skimmia parfumé.*

△ *De même qu'il faut de la largesse oser dans un grand jardin, il faut à ce colosse d'argile d'amples feuillages pour l'équilibrer.*

◁ *Le jardin en pots obéit à un cycle où les nouvelles plantes sont mises à profit en temps et en heure avant de rejoindre définitivement la pleine terre. Ici, des roses de Noël pourpres brillent au milieu de perce-neiges, d'éranthis et de crocus. Récoltez les graines, semez-les en juin et vous aurez bien vite de jeunes sujets à installer dans de futures potées.*

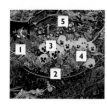

CE QU'IL VOUS FAUT

♣ 10 muscaris (*Muscari armeniacum* ♀) (1)

♣ 4 arabis roses (*Arabis blepharophylla* 'Frühlingszauber' syn. 'Spring Charm' ♀ ou autre) (2)

♣ 3 pensées jaune et noir race Universal ♀ ou autre (3)

♣ 3 myosotis (*Myosotis sylvatica* 'Blue Ball' ou similaire) (4)

♣ 2 auricules (*Primula auricula* ♀) (5)

♣ Mousse de garniture

♣ Billes d'argile ou tessons de pot

♣ 16 litres de terreau universel

OU BIEN...

Pour obtenir un effet plus exotique, remplacez les pensées par des renoncules jaunes doubles *Ranunculus asiaticus* 'Accolade'.

POUR LE LONG TERME

Transplantez les pensées et faites une bordure ensoleillée et bien drainée d'arabis adossés aux muscaris et aux auricules.
Ajoutez les myosotis dans un coin libre pour qu'ils se ressèment.

Panier plat en fil de fer

Les nouveautés sont nombreuses qui veulent rendre la vie plus facile au jardinier amateur de suspensions, mais il est permis de leur préférer le style de ce panier de fil de fer à fond plat. Garni de mousse, puis de plastique, il reste stable après la plantation et, comme il contient plus de terre que les modèles habituels, il économise également l'arrosage.

Hauteur 15 cm
Diamètre 40 cm
Poids (quand le panier est planté et arrosé) 12 kg

Printemps

La plupart du temps, les amateurs de paniers suspendus ne font qu'une composition par an, en été, et si possible éclatante. Ici, le programme annuel n'autorise pas un tel relâchement. Il commence au printemps par un tel festival de floraisons qu'il devrait donner à tous l'envie de planter un massif ou une potée de pensées jaune et noir au milieu d'un flot de muscaris, de myosotis et d'arabis roses.

PROGRAMMATION

Si l'on ne dispose que d'un seul panier et qu'il est occupé par une suspension d'hiver, il faudra attendre mars pour commencer les plantations de printemps. Préparez-vous en empotant, à l'automne précédent, les muscaris (ou tout autre bulbe) qui seront prêts à fleurir en six mois. 'Frühlingszauber' est disponible à l'automne et au printemps, de même que les pensées jaune et noir. Les autres plantes du panier peuvent être cultivées chez vous.

Nous vous avons proposé à maintes reprises de prélever dans les massifs et bordures des pieds de myosotis, et des semis spontanés de tanaisies et de limnanthes pour les installer en potée. Ce n'est pas tout à fait orthodoxe, mais on obtient des plantes plus grandes, plus étoffées et mieux enracinées. Je fais de même avec les auricules qui passent de la pleine terre au pot avant de retourner au massif et qui sont bouturées après la floraison. Il n'y a plus qu'à les planter dans leur panier, les aménager et profiter du spectacle. Parions que certains retourneront plusieurs fois au jardin pour contempler leur œuvre.

▽ *Mettez en place le mélange de printemps de sorte que ce soit les fleurs qui se montrent et non les tiges nues, comme ici à la fourche d'un pommier, ou suspendu à une poutre au bout d'une chaîne.*

◁ *Les pensées mettront deux ou trois jours avant de poindre après la plantation. On peut accélérer leur épanouissement en les stimulant délicatement pour les tourner face aux passants.*

△ *Un semis de petites fleurs délicates et un feuillage en frondes de fougère sont ici associés dans un panier d'été dont l'équilibre serait rompu par une plante disproportionnée telle que le pétunia.*

Été

Le diascia fleurit si abondamment en été que, comme il arrive avec *Nemesia denticulata* 'Confetti', on finit par s'en lasser. Une des meilleures variétés est le *Diascia* 'Salmon Supreme' dont on peut juger utile de diluer la couleur avec du bleu, du blanc et du gris.

PRÉPARER LA SÉLECTION

On pourra se familiariser avec les diascias en achetant par correspondance une collection de jeunes plants. On commandera les brachycomes par la même occasion. Ce type de boutures racinées est particulièrement apprécié des jardiniers amateurs de paniers suspendus parce que leur forme effilée s'adapte très bien au grillage. On peut aussi empoter les plants et les installer plus tard.

Pendant trois ans, j'ai essayé de semer cette petite impertinente de violette 'Bluebird' et maintenant que j'ai réussi, j'ai l'intention de persévérer en la bouturant. L'intensité du bleu étant très variable, on multipliera les meilleurs plants.

Cette tanaisie est une merveille avec son feuillage gris comme des frondes de fougère et, bien drainée, elle sera aussi rustique. Elle est beaucoup plus raffinée qu'*Helichrysum petiolare* qui domine souvent dans les suspensions.

Un panier ainsi garni de plantes à petites feuilles supportera sans doute d'être privé d'eau un jour ou deux, il n'y a donc pas à s'inquiéter de rester absent un week-end. On réduira encore les soins d'entretien grâce à des granulés rétenteurs d'eau et des engrais à diffusion lente.

PANIER DE GRAMINÉES

Si tondre la pelouse est une corvée ou si le gazon est jaune, on peut se consoler avec un panier de graminées qui n'auront pas besoin d'entretien.

Ces laîches (à droite) ont beaucoup de présence. Il s'agit de la forme à feuillage bronze de la variété *Carex comans* et de *Carex* 'Frosted Curls'. Toutes deux ont un port en bouquet qui convient tout particulièrement à un milieu de panier ou à une haute jarre. Les accompagnent une fétuque bleue (*Festuca glauca* 'Blaufuchs') et, à l'arrière-plan, une molinie violette panachée (*Molinia cærulea* 'Variegata' ♀), une des meilleures graminée naine.

Le panier à fond entièrement plat a été monté sur un pot de cheminée, mais on aurait pu tout aussi bien le suspendre.

▷ *Le panier a été tapissé de plumets d'herbe des pampas de l'année précédente - une nouveauté très résistante à la sécheresse.*

CE QU'IL VOUS FAUT

* ♣ 1 gentiane à floraison d'automne (*Gentiana sino-ornata* ♀) (1)
* ♣ 2 bruyères à floraison d'automne (1 *Calluna vulgaris* 'Allegro' et 1 *Calluna vulgaris* 'Darkness' ♀) (2)
* ♣ 3 cyclamens nains des fleuristes (*Cyclamen persicum* race Miracle) (3)
* ♣ 2 tanaisies (*Tanacetum densum* ssp. *amani*) (4)
* ♣ Mousse de garniture
* ♣ Billes d'argile ou tessons de pot
* ♣ 16 litres de terre de bruyère

OU BIEN...

Impressionnante, la bruyère d'Afrique du Sud *Erica gracilis* devrait vivre jusqu'à Noël, bien qu'elle ne soit pas rustique.

PROGRAMME D'HIVER

CE QU'IL VOUS FAUT

* ♣ 1 rose de Noël (*Helleborus* 'Ashwood Hybrids' ou autre) (1)
* ♣ 4 pots de perce-neiges (*Galanthus nivalis* ♀) (2)
* ♣ 4 pots de cyclamens (2 formes différentes de *Cyclamen coum* ♀) (3)
* ♣ Frondes de fougère fanées pour garnir le panier
* ♣ 16 litres de terreau universel

Automne

Avec un certain soin, la composition d'été pourra durer jusqu'aux gelées, mais on risque alors de manquer des occasions que seul l'automne peut offrir. Les gentianes, par exemple, paraissent entourées d'une sorte d'aura. Certaines sont un défi à cultiver et à faire fleurir, comme *Gentiana verna* qui s'épanouit au printemps, mais celles à floraisons tardives représentées par *Gentiana sino-ornata* sont plus dociles. Elles ont besoin d'un sol humide et acide et de soleil pour fleurir. Elles s'associeront bien aux bruyères fleurissant à la fin de l'été.

LEÇON DE CHOSES

Les formes miniatures de cyclamens des fleuristes (à droite) ont été présentées à grand tapage comme un moyen sûr de relancer des potées d'automne fatiguées. En fait, elles n'étaient vraiment pas aussi robustes que les espèces classiques telles que *Cyclamen hederifolium* ♀.

Leurs pétales se maculaient facilement et leurs tiges pourrissaient au pied. On peut soupçonner les plants d'avoir été insuffisamment endurcis au moment de l'achat et il est préférable à l'avenir de s'abstenir de les choisir en jardinerie.

Par temps froid et humide, vous pouvez avoir envie de suspendre le panier sous un porche bien éclairé ou sous un auvent. Dans ce cas, placez-le assez bas pour profiter de ses fleurs.

△ *Faites pivoter délicatement les racines de la rose de Noël dans le panier jusqu'à ce que celle-ci se montre sous son meilleur jour.*

△ *Pour établir une certaine continuité, installez les plantes d'automne en conservant le feuillage gris de la tanaisie de l'été.*

Hiver

En hiver, le panier pourra accueillir une rose de Noël avec des plantes basses à ses pieds. La meilleure façon de mettre en valeur la beauté insigne de cette fleur dodelinante et des perce-neiges est de les suspendre à hauteur de regard. La composition fera également bon effet sur un pot retourné, la rose de Noël se détachant sur un fond de feuillages panachés jaunes.

LIT DE FOUGÈRES

Le panier a été tapissé de fougères fanées qui isolent mieux que la mousse. Installez la rose de Noël à l'arrière et faites-la tourner pour en avoir la meilleure vue de face. Remplissez à mi-hauteur de terreau et ajoutez les perce-neiges cultivés en pots en les répartissant pour qu'ils donnent l'impression d'un semis spontané. Ajoutez enfin les cyclamens. Si le panier est suspendu dehors, choisissez si possible un endroit près d'une fenêtre abritée pour que l'on en profite de l'intérieur.

▷ *Le cyclamen coum et le perce-neige participent à une association d'hiver classique.*

JAN	FÉV	MARS	AVR	MAI	JUIN
JUIL	AOÛT	SEPT	OCT	NOV	DÉC

CE QU'IL VOUS FAUT

- ♣ 20 narcisses 'Cragford' (1)
- ♣ 20 narcisses hybrides cyclamineus (*Narcissus* 'Jetfire') (2)
- ♣ 20 muscaris (*Muscari armeniacum*) (3)
- ♣ Paille ou foin de garniture

OU BIEN...

Les narcisses 'Cheerfulness' et 'Geranium' sont deux autres grandes variétés très parfumées. Le délicieux 'Jenny' est du type hybride cyclamineus comme 'Jetfire', à très longue floraison. *Muscari armeniacum* 'Blue Spike' est à fleurs doubles, plus étoffé et un peu plus raffiné que l'espèce simple.

OU ENCORE...

On trouvera d'autres compositions colorées à base de narcisses page 115.

Petit chariot

Si l'on a la nostalgie du temps où les charrues étaient attelées de chevaux et où tout le village se rassemblait pour les moissons, alors ce petit chariot à foin pourra l'évoquer. Mais il ne s'agit pas d'un jouet ; utilisé naguère dans une ferme pour transporter les bidons de lait, ce modèle est devenu le support de plantations le plus charmant qui soit.

Hauteur (sans les roues) 30 cm
Largeur 50 cm
Longueur 70 cm
Poids 15 kg

Printemps

Le jardinage en pots peut facilement conduire à la routine et se cantonner à des styles convenus. Ce petit chariot n'est pas un conteneur dans le sens habituel du terme, et les bulbes n'y sont pas à proprement parler « plantés ». Mais on peut le rouler devant un parterre de narcisses et le garnir d'une sélection de bulbes sans cesse renouvelée, qui entretiendra un lien permanent avec l'arrière-plan. Lorsqu'ils auront fait leur temps, on pourra les remplacer par des lis asiatiques accompagnés de roses.

BULBES EN FÊTE

La gamme de narcisses disponible est alléchante ; même les variétés les plus hautes peuvent être cultivées dans un grand pot, en bac ou en jardinière. La plupart viendront bien en pleine terre après leur passage en pot, et pour des années encore. Mais on ne les replantera pas avant d'en avoir divisé les touffes pour pouvoir les espacer d'une quinzaine de centimètres. En temps et heure, on pourra de nouveau les installer en pots.

Empotez les bulbes de printemps à l'automne en sélectionnant des variétés de hauteurs et de couleurs différentes qui se dresseront en rangs serrés comme ces narcisses et ces muscaris ou qui seront répartis de façon harmonieuse. En avril, les jacinthes orneront avec bonheur un carrelage, tandis que les ails d'ornement, par exemple *Allium hollandicum* 'Purple Sensation' ♀, procureront un grand plaisir vers le mois de mai.

Si vous souhaitez commencer les festivités en mars, introduisez des tulipes naines hybrides kaufmanniana ('Ancilla' ♀, 'Shakespeare' et 'Stresa' ♀). Associez-les à des bruyères d'hiver pour obtenir un effet maximal.

◁◁ *Le choix fantastique de tailles, de formes et de couleurs de narcisses montre qu'il existe la variété qui convient à chaque potée.*

◁ *Il n'est pas nécessaire d'attendre que les narcisses atteignent leur pleine floraison, comme ici, pour les mettre en place dans le chariot, bien que leur arrangement par tailles et par couleurs en soit facilité.*

▷*Régulièrement remplie de plantes bulbeuses en pots, cette carriole offrira un parterre resplendissant.*

Été

Cet ensemble de bégonias est certes clinquant, mais on peut avoir une sorte de fascination enfantine pour ces fleurs prodigues. On peut aimer autant les bégonias dans ce contexte-là que les rares et précieux melianthus (*Melianthus major* ❦) et *Amicia zygomeris*.

CHARGEMENT DE BÉGONIAS

Tous ces bégonias sont nés de tubercules mis en pots en avril et installés en serre à l'abri du gel jusqu'à la mi-mai. Ils ont ensuite été endurcis au pied d'un mur chaud le jour et rentrés les nuits froides. Pour encourager la croissance des racines au-dessus et au-dessous des tubercules, enterrez-les à environ 2,5 cm, la partie concave au-dessus. Arrosez parcimonieusement jusqu'à la levée des pousses et plantez dans le chariot dès l'apparition des boutons.

Il s'agit d'encourager la production de nombreuses fleurs, petites à moyennes, aussi on n'enlèvera pas les fleurs femelles isolées sur les variétés doubles comme on le ferait sur un spécimen d'exposition.

◁ *Il est précieux de disposer d'une demi-douzaine de pots garnis d'une même variété au moment de créer une composition d'été. Les bidens jaunes offrent aux bégonias un décor certes plus intéressant qu'un mur de brique.*

PROGRAMME D'ÉTÉ

JAN	FÉV	MARS	AVR	MAI	JUIN
JUIL	AOÛT	SEPT	OCT	NOV	DÉC

CE QU'IL VOUS FAUT

- ♣ 2 *Begonia* 'Marmorata' (1)
- ♣ 4 *Begonia*' Non Stop' (2)
- ♣ 2 *Begonia* crispa marginata (3)
- ♣ 2 *Begonia* 'Bertini' (4)
- ♣ 2 *Begonia* 'Switzerland' (5)
- ♣ Paille ou foin de garniture

POUR LE LONG TERME

Rentrez les bégonias avant les premières gelées. Réduisez peu à peu l'arrosage et laissez jaunir le feuillage. Entreposez les tubercules au sec pour l'hiver et réutilisez-les l'année suivante.

Automne

Potirons, courges, gourdes et coloquintes dureront plus longtemps après un mûrissement au soleil qui durcira leur peau ; on les exposera donc de préférence à cette période. Un plein chariot éclairera un massif et offrira un point de mire irrésistible au milieu d'annuelles tardives ou de vivaces telles que les rudbeckias, les chrysanthèmes, les choux d'ornement ou les gaillardes.

CHARIOT D'ABONDANCE

Toutes ces espèces de courges s'achètent en saison chez les marchands de légumes ou en grande surface.

Bien mieux, on les cultivera soi-même ; elles pourront orner des arceaux ou des treillages, voire un toit surbaissé.

Si l'on dispose d'un grand porche ou d'un vestibule, on y exposera le chariot déclinant ainsi le thème de la récolte.

◁ *Mûries au soleil, courges, citrouilles et coloquintes dureront des mois, mais il faudra les rentrer avant les gelées.*

PROGRAMME D'AUTOMNE

JAN	FÉV	MARS	AVR	MAI	JUIN
JUIL	AOÛT	SEPT	OCT	NOV	DÉC

CE QU'IL VOUS FAUT

- ♣ 1 citrouille géante 'Mammoth Gold' ou similaire (1)
- ♣ 30 coloquintes mélangées (2)
- ♣ 5 courges de couleurs variées (3)
- ♣ Paille ou foin de garniture

Hiver

L'un des nombreux avantages d'une potée mobile en hiver est que l'on peut la mettre à couvert ou à l'abri d'un mur par mauvais temps. On peut aussi envisager une double composition offrant en alternance l'un ou l'autre de ses aspects.

Ici, le chariot a été placé au seuil de la véranda dans l'intention d'y faire déborder jusque sur le dallage des plantes d'hiver un peu exubérantes à partir d'un fond de feuillages persistants et robustes. Un effet de déversement est ainsi obtenu.

CASCADES VÉGÉTALES

Les contrastes de couleurs, de formes et de matières sont la clé d'une composition d'hiver vivante. Les odeurs ont également leur importance. Les *Sarcococca* répandent un parfum pénétrant qui dément la discrétion de leurs fleurs. Le feuillage de l'acore dégage des arômes de gingembre et de cannelle et le skimmia donne en avril des fleurs aux senteurs suaves.

Disposez les grands feuillages persistants en arrière-plan et, si nécessaire, empilez des pots pour leur faire gagner de la hauteur. Recherchez une ou deux plantes enveloppantes comme la bruyère arborescente et le cyprès bleu de Lawson qui retomberont joliment.

Garnissez ensuite le devant en opposant feuilles souples et effilées, larges et panachées, fines aiguilles. Laissez les plantes retomber. *Juniperus conferta*, un genévrier, sur lequel on peut toujours compter, et deux grandes bruyères d'hiver « ancreront » la composition au sol.

Enfin, placez le skimmia à fruits rouges et calez les pots avec de la paille ou du foin pour les dissimuler et les protéger du gel.

△ *Commencez la composition par un écran de feuillages persistants à l'arrière-plan. Puis disposez, sur le devant de la charrette, d'autres feuillages qui déborderont des ridelles et passeront entre leurs barreaux.*

△◁

Pour tirer le meilleur parti du chariot, faites-le tourner pour que les plantations se montrent sous leur meilleur jour. Placé de trois quarts, il offrira un spectacle des plus luxuriants.

▷ *Mettez la dernière touche au décor en y glissant de petits skimmias, dont les pots se dissimuleront dans les feuillages.*

▷ *La mauvaise saison porte bien mal son nom lorsque les plantes et les idées d'arrangement viennent ainsi par pleins chargements.*

PROGRAMME DE PRINTEMPS

JAN	FÉV	MARS	AVR	MAI	JUIN
JUIL	AOÛT	SEPT	OCT	NOV	DÉC

CE QU'IL VOUS FAUT

- ♣ 1 *Pieris japonica* 'Debutante' ♀ (1)
- ♣ 7 tulipes naines (*Tulipa* 'Johann Strauss' ou petites tulipes botaniques) (2)
- ♣ 3 pots de muscaris (*Muscari armeniacum* ♀) (3)
- ♣ 2 pensées bleu-violet 'Joker Light Blue' ou autre (4)
- ♣ 1 petite pervenche panachée (*Vinca minor* 'Argenteovariegata') (5)
- ♣ 1 touffe de primevères à grandes fleurs (*Primula vulgaris*) (6)
- ♣ 1 osmanthus panaché (*Osmanthus heterophyllus* 'Goshiki') (7)
- ♣ Billes d'argile ou tessons de pot
- ♣ 40 litres de terre de bruyère

PROGRAMME D'ÉTÉ

JAN	FÉV	MARS	AVR	MAI	JUIN
JUIL	AOÛT	SEPT	OCT	NOV	DÉC

CE QU'IL VOUS FAUT

- ♣ 6 tournesols nains (*Helianthus annuus* 'Sunspot') (1)
- ♣ 5 soucis (*Calendula officinalis*) (2)
- ♣ 4 capucines (*Tropæolum* race Whirlybird ♀) (3)
- ♣ Billes d'argile ou tessons de pot
- ♣ 40 litres de terreau universel

OU BIEN...

On peut essayer les capucines 'Alaska' ♀ et les tournesols 'Teddy Bear'.

Coffre à jouets

On ne soupçonne pas le nombre d'objets qui peuvent se transformer en pots ou en jardinières. Les caisses, les caissettes, les bols ou même les seaux de plastique reviennent souvent moins cher que les conteneurs habituels. Mais il faut toujours y percer des trous de drainage. Ce coffre à jouets de plastique bleu est suffisamment haut pour bien retenir l'humidité et accueillir des racines développées.

Printemps

Au printemps, une note de bleu équilibre le règne sans partage du jaune et du blanc. C'est pourquoi l'on a choisi ici ce modèle de coffre à jouets pour accueillir une composition de tulipes remarquables émergeant du piéris et de ses rangs de perles blanches.

BOITE À BIJOUX

L'arrière-plan est occupé par un grand piéris déjà en boutons. Ce n'est pas là un spécimen bon marché, mais, grâce à des soins attentifs, il sera le compagnon de toute une vie. Début mars, les tulipes élevées en pots ont été plantées avant la bordure de muscaris, de pensées et de pervenches. On a enfin transplanté et arrangé une touffe de primevères.

△ *Mêlez les piéris et les tulipes avec d'autres gloires printanières qui formeront une vibrante tapisserie florale.*

Été

Si l'on est séduit par leur côté un peu vieillot, on aura plaisir à associer des fleurs telles que les tournesols nains, les soucis et les capucines. On sèmera ces deux dernières plantes directement dans le coffre à jouets en avril. Pour que les tournesols s'épanouissent en un bel ensemble et dominent la potée, cultivez-les en pots séparés et installez-les au moment où les pétales commencent à poindre. Ici, ils ont été semés le 23 avril et ils ont commencé à s'ouvrir pendant une vague de chaleur le 23 juillet.

DÉFI

On a mêlé ici les charmes désuets de diverses fleurs de printemps et de début d'été comme les limnanthes, des pensées 'Jolly Joker' et 'Chantreyland', des erysimums orange et des pâquerettes roses doubles. Dans ce cadre d'un bleu apaisant, associer de l'orange et du rose tient du défi !

▽ *Les visiteurs ne pourront oublier cette débordante foison d'orange, de jaune, de pourpre et de rose.*

▷ *Les annuelles rustiques installées dans le bleu profond de ce coffre ont une allure dont leurs équivalents semi-rustiques manquent parfois. On dirait presque que les flots de capucines se déversent dans un lagon bleu.*

CE QU'IL VOUS FAUT

- ♣ 4 chrysanthèmes nains pompons (*Chrysanthemeum* 'Harvest Emily' ou autre) (1)
- ♣ 4 ancolies à feuillage panaché (*Aquilegia* 'Roman Bronze' ou autre) (2)
- ♣ *Centradenia inæquilateralis* 'Cascade' (3)
- ♣ Billes d'argile ou tessons de pot
- ♣ 40 litres de terreau universel

OU BIEN...

L'ancolie *Aquilegia* vulgaris 'Woodside' du groupe Vervaeneana est une forme panachée que l'on trouve parfois en graines ou en plant. Une misère à feuillage panaché conviendrait également très bien comme plante à feuillage.

POUR LE LONG TERME

Le chrysanthème sera la fleur clé d'un massif d'automne avec un chou d'ornement, des rudbeckias et un cosmos nain. Plantez des ancolies au milieu d'hostas nains tels 'Halcyon' ♀ et 'Wide Brim' ♀ et vous aurez un luxuriant buisson fleuri.

OU ENCORE...

On trouvera les chrysanthèmes nains dans d'autres associations de couleurs pages 14 et 63.

Automne

Ces variétés de chrysanthèmes nains à floraison compacte figurent parmi les fleurs d'automne les plus populaires en jardinerie et en pépinière ; le choix de couleurs est véritablement kaléidoscopique. Abrités comme il faut, ils passeront intacts la plupart des hivers, et, une fois qu'on les aura essayés, on aura du mal à imaginer l'automne sans eux.

POTS DE CHRYSANTHÈMES

On peut acheter des plants de chrysanthèmes adultes, en boutons ou en fleur, et les installer aussitôt, mais certaines variétés extrêmement fragiles perdent déjà des pousses latérales pendant le transport. Ceux-ci sont arrivés par la poste au printemps ; aussitôt établis en pots de 9 cm, ils sont allés en serre froide.

Pour obtenir des plants bien buissonnants aux inflorescences compactes, plantez les chrysanthèmes dans des pots d'au moins 13 cm, pincez le plus souvent possible et faites des apports d'engrais réguliers. Mettez-les en place dans un coin du jardin clair et ensoleillé à partir de mai et, moyennant quelques soins attentifs, ils devraient prospérer.

LE MEILLEUR PARTENAIRE

On peut douter que l'ancolie commune, qui a terminé sa floraison en juillet, soit la partenaire la plus appropriée pour des plantes d'automne. Pourtant, une nouvelle génération présente des feuillages panachés jaunes, bronze, ou verts mouchetés de vert clair et de jaune. La culture par semis offre de grandes variations et ce sachet de 'Roman Bronze' a présenté des mutations très intéressantes qui valaient la peine d'être cultivées.

Semés en février, les pots ont été laissés dehors pour subir l'action du froid, puis, au bout de six semaines, mis sous mini-serre. En septembre, le feuillage élégant des ancolies se mêlait aux fleurs de chrysanthèmes 'Harvest Emily'. L'année suivante, elles ont donné des fleurs violet foncé, roses et bleues.

Une autre nouveauté parmi les vivaces non rustiques est le *Centradenia* tapissant, qui se vend en jeune plant ou en mini-motte. Sa floraison rose reste fugace. La véritable attraction commence lorsque le feuillage prend des tons bronze en été et en automne.

▷ *Le couvercle du coffre dévoile ses trésors d'automne, trois plantes dont l'association est probablement inédite. C'est ce genre de trouvaille qui fait tout le charme du jardinage en pots.*

△ *Quand chaque chrysanthème a atteint 7 à 10 cm, pincez la ramification principale pour encourager une floraison compacte plutôt que le développement d'un unique bouton floral. Répétez deux fois cette opération sur les nouvelles tiges qui apparaissent. On laissera les boutons floraux se développer à partir de juillet.*

Hiver

Les premiers mois de l'année sont sans doute ceux qui soulèvent le moins d'enthousiasme chez les jardiniers en pots. Le froid peut figer les plantes au point qu'il devient impossible de les arranger et il faut parfois arroser les racines pour les dégeler sans rentrer les plantes.

Mais, même en janvier, ces maux restent bénins lorsqu'on a pu créer une ou deux compositions. Les bruyères d'hiver ont alors trouvé leur rythme et il ne manque pas de plantes à feuillages et à fruits pour leur tenir compagnie.

PREMIER RANG

Cette composition nécessite que trois plantes de variétés différentes retombent du coffre, aussi on s'assurera de leurs ports à l'achat. Une qualité essentielle pour ce type d'arrangement.

Le mieux est de disposer les plantes au sol et d'essayer différentes combinaisons pour choisir la meilleure. Variez les couleurs et les textures.

La taille joue également son rôle, notamment en ce qui concerne les bruyères. Un beau spécimen fera toujours plus d'effet que trois petits, serrés les uns contre les autres. On n'a pu résister ici au fusain argenté et à la forme panachée de saxifrage, qui semble aussi vigoureuse que la variété à feuilles unies.

INSTALLATION

Il est inutile de réserver de la place autour de plantes qui, en principe, ne s'étofferont pas, sauf si l'on a l'intention de créer une composition plus permanente. C'est là toute la beauté des potées d'hiver. Des hauteurs, des coloris ou un arrangement un tant soit peu approximatifs détonneront aussitôt, car ce que l'on a réalisé ne

bougera plus. On peut toutefois laisser quelques vides pour des plantes à bulbes.

Aménagez d'abord l'arrière-plan. Plantez les plus grands spécimens aussi loin que possible. Un conifère nain, jaune ou vert, conviendra très bien pour cette position clé. Puis, par paliers, installez l'osmanthus et le pernettya en tassant de la terre de bruyère autour des racines.

Enfin, disposez le premier rang en inclinant légèrement les plantes vers l'avant pour qu'elles ne restent pas sous le couvert des feuillages qui les dominent et installez le coffre dans un endroit abrité et ensoleillé.

△ Une profusion de feuillages colorés, de baies et de fleurs de bruyère réchauffe le cœur en attendant l'apparition des premiers bulbes.

◁ Une plante en rosette telle que cette saxifrage panachée anime le devant de la potée en compagnie d'une bruyère délicate et d'un fusain panaché.

PROGRAMME D'HIVER

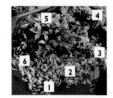

JAN	FÉV	MARS	AVR	MAI	JUIN
JUIL	AOÛT	SEPT	OCT	NOV	DÉC

CE QU'IL VOUS FAUT

- ♣ 1 bruyère d'hiver adulte (*Erica carnea* 'Pink Spangles' ♀) (1)
- ♣ 1 fusain panaché (*Euonymus fortunei* 'Harlequin') (2)
- ♣ 1 saxifrage panachée (*Saxifraga* x *urbium* 'Variegata') (3)
- ♣ 1 cyprès nain (*Chamæcyparis obtusa* 'Nana Aurea' ♀) (4)
- ♣ 1 osmanthus panaché (*Osmanthus heterophyllus* 'Goshiki') (5)
- ♣ 1 pernettya en fruits (*Pernettya mucronata* 'Rosea') (6)
- ♣ Billes d'argile ou tessons de pot
- ♣ 40 litres de terre de bruyère

OU BIEN...

Le conifère *Thuja occidentalis* 'Rheingold' mérite une place d'honneur dans un jardin d'hiver. Le coûteux *Skimmia japonica* subsp. *reevesiana* paie largement en retour avec ses pyramides de fruits rouges qui durent jusqu'au printemps bien avancé.

POUR LE LONG TERME

Glissez dans la bordure de feuillages persistants des iris (*Iris reticulata* ♀ et *Iris danfordiæ*) et les crocus les plus précoces (par exemple *Crocus ancyrensis* et *Crocus tommasinianus* ♀). Ils y seront beaucoup plus à leur avantage qu'isolés en pleine terre. Si l'on plante le pernettya dans un sol tourbeux en mars près d'un sujet hermaphrodite ou femelle, on profitera d'une seconde fructification.

OU ENCORE...

Pour tirer d'autres partis des bruyères d'hiver, voir pages 59 et 117.

Vasque de ciment patiné

Cette vasque présente une ornementation élégante aux motifs bien dessinés et une patine à l'ancienne, amélioration notable par rapport aux modèles précédents de ce type, au décor sans relief et aux joints de moulage apparents. Le récipient et son pied se démontent, et un socle permet de surélever le tout. Ce genre de poterie manquant de stabilité, on évitera que des enfants y grimpent.

Hauteur 48 cm
Diamètre 45 cm
Poids 40 kg

CE QU'IL VOUS FAUT

♣ 20 tulipes à fleurs vertes (*Tulipa* 'Spring Green') (1)
♣ 10 narcisses doubles (*Narcissus* 'Sir Winston Churchill') (2)
♣ 2 mélisses panachées (*Melissa officinalis* 'Aurea') (3)
♣ 2 hélychrisums (*Helichrysum petiolare* 'Limelight') (4)
♣ Billes d'argile ou tessons de pot
♣ 22 litres de terreau universel
♣ Mousse de garniture et de remplissage
♣ Branchages de soutien pour tiges et feuilles

OU BIEN...

Le narcisse 'Cheerfulness' est une fleur double parfumée de même taille que 'Sir Winston Churchill'. L'étonnante tulipe 'Chine Town', de 35 cm de haut, avec ses pétales flammés de vert et ses feuilles bordées de blanc, mérite aussi une place au premier rang.

POUR LE LONG TERME

Transplantez les narcisses sur une pelouse ou dans un massif pour les acclimater à la pleine terre. Laissez sécher les tulipes et conservez les bulbes jusqu'à la plantation des erysimums au début de l'automne. Associez-les à une couleur tendre.

Printemps

Si l'on veut entretenir plusieurs mois une belle profusion de plantes, il faut disposer d'un pot au moins aussi grand que cette vasque. Le volume est ici un élément plus important que la forme ou la hauteur et les vasques trop petites ne peuvent accueillir que des plantes grasses résistant à la sécheresse. Pour obtenir un résultat plus spectaculaire, un modèle évasé conviendra mieux qu'une forme élancée.

ASSOCIATION DE MOTS

Le vert du printemps évoque facilement la couleur d'une tulipe à floraison tardive précisément surnommée 'Spring Green'. Cette fleur « vert printemps » est si étonnante qu'elle mérite les honneurs d'une plantation à elle seule. Le partenaire idéal est ici 'Sir Winston Churchill', un narcisse délicieusement parfumé dont les couleurs, la hauteur et la période de floraison s'accordent à celles de 'Spring Green'. Empotées en octobre, ces deux fleurs ont été tuteurées au printemps par des rameaux d'eucalyptus. La composition a été complétée par une mélisse panachée et l'hélichrysum 'Limelight'.

△ *Pour apporter une note de magie, nous avons rempli de mousse humide les interstices du ruban ornant le bord de la vasque, comme si celle-ci avait séjourné dans quelque eau dormante. Et, comme on pourra en juger, cette patine « naturelle » lui est restée.*

◁ *Ces lourdes floraisons auront besoin de soutien. Il faudra donc prévoir quelques menus branchages piqués entre les plantes pour aider les tiges à rester dressées.*

▷ *Une tulipe aussi singulière que cette variété 'Spring Green' pourra donner le ton dans une potée aussi fraîche et pimpante que le printemps lui-même.*

PROGRAMME D'ÉTÉ

JAN	FÉV	MARS	AVR	MAI	JUIN
JUIL	AOÛT	SEPT	OCT	NOV	DÉC

CE QU'IL VOUS FAUT

♣ 2 bacopas aquatiques (1 *Bacopa* 'Snowflake' et 1 *Bacopa* 'Pink Domino') (1)

♣ 2 sauges (*Salvia* x *superba* 'Mainacht', syn. 'May Night' ♀) (2)

♣ 2 achillées (*Achillea* x *lewisii* 'King Edward' ♀) (3)

♣ 1 osteospermum 'Giles Gilbey' ou autre (4)

♣ 1 *Nemesia cærulea* 'Joan Wilder' (5)

♣ *Nemesia* 'Blue Bird' (6)

♣ 2 hélichrysums (*Helichrysum petiolare* 'Limelight') (7)

♣ 1 aigremoine à feuillage gris (*Acæna adscendens*) (8)

♣ Billes d'argile ou tessons de pot

♣ 22 litres de terreau universel

OU BIEN...

Nemesia denticulata 'Confetti', vigoureux et presque rustique, fleurit rose clair tout l'été. Une lavande (*Lavandula stœchas* ♀) remplacera très bien la sauge, et *Rudbeckia hirta* 'Toto' l'achillée.

POUR LE LONG TERME

Bouturez les vivaces non rustiques au milieu de l'été ou faites hiverner les plantes en serre à l'abri du gel ou dans un endroit abrité bien éclairé. Replantez l'achillée dans une rocaille ou en massif, au soleil et dans une terre bien drainée. Accompagnez la sauge d'une plus grande achillée telle qu'*Achillea* 'Moonshine' ♀ dans un massif ensoleillé.

Été

La vente par correspondance fait fortune avec ce que l'on appelle les « vivaces non-rustiques ». Des plantes de massif de haute qualité telles que le lotus, l'osteospermum et le brachycome, sont proposées en jeunes plants ou parfois en mini-mottes. D'excellentes variétés apparaissent régulièrement sur le marché.

Mais, dans leur hâte à enrichir leurs catalogues, certaines sociétés ont admis des plantes qui, de toute évidence, ne conviennent pas au grand air. L'*acalypha* est très sensible au froid, *Centradenia* donne des fleurs très éphémères, *Tradescantia* x *andersoniana* 'Maiden's Blush' brûle facilement et ce n'est que grâce à un optimisme inébranlable que l'on oserait cultiver un *caladium* à l'extérieur sous un climat tempéré. Toutefois, certaines vivaces non-rustiques font preuve de qualités réelles. On peut le constater dans cette composition d'été.

POTÉE DE VIVACES

Il y a ici une petite part de tricherie car la sauge et l'achillée sont en réalité des vivaces rustiques, mais qu'importe quand elles se fondent si bien dans cet ensemble. *Salvia* x *superba* 'Mainacht' forme un bel arrière-plan pour une potée de taille et contraste avec les formes plus rondes de l'osteospermum qui a tendance à fleurir par poussées espacées de quelques semaines. On laissera le Nemesia se mêler aux fleurs de marguerite et à l'achillée, car ces fleurs forment une harmonie parfaite.

Helichrysum petiolare 'Limelight' offre une bordure plus intéressante que le simple *Helichrysum petiolare* à feuillage argenté, car il risque moins d'envahir la potée ; l'acaéna à feuillage gris s'associe bien au blanc et au rose des bacopas aquatiques. On peut reprendre l'hélichrysum de la composition de printemps et acheter toutes les autres plantes en mai ou juin.

△ *On créera un chatoiement de jaune grâce à des feuillages et à des fleurs telles que les pensées, la bruyère, les reines-des-prés, les nummulaires et des graminées naines.*

◁ *Cette tendre harmonie se gorgera de soleil, aussi lui réservera-t-on l'endroit le plus ardent du jardin.*

Automne

L'automne est la saison qui offre le plus de tons primaires détonnants, aussi est-il bon de faire de temps à autre une cure de couleurs tendres. Les fleurs d'été de longue haleine et les plantes vivaces herbacées tardives peuvent jouer sur la durée avec leurs combinaisons de couleurs jusqu'aux premiers froids.

Les impatiens roses gagnent en raffinement grâce aux pensées bleues, aux immortelles blanches et aux brachycomes roses qui les soutiennent et fondent leurs teintes. La gypsophile des murailles compte parmi les annuelles utiles en bordure, car on peut la déplacer d'une potée à l'autre

TRANSITION

D'autres plantes cultivées en pot apporteront une note flatteuse au tableau. Ce sont par exemple un sapin bleu (*Picea*), un genévrier à feuillage gris, une armoise argentée (*Artemisia*), un érable du Japon (*Acer japonica*), qui donneront un avant-goût du paysage d'hiver.

◁ *Les impatiens auront meilleure allure en compagnie d'autres plantes d'automne que seules dans une potée.*

PROGRAMME D'AUTOMNE

JAN	FÉV	MARS	AVR	MAI	JUIN
JUIL	AOÛT	SEPT	OCT	NOV	DÉC

CE QU'IL VOUS FAUT

- ♣ 4 impatiens roses (*Impatiens*) (1)
- ♣ 2 pensées bleues 'Water Colours Mixed' ou autre (2)
- ♣ 1 immortelle blanche (*Anaphalis triplinervis* ♀) (3)
- ♣ 2 brachycomes 'Pink Mist' (4)
- ♣ 1 gypsophile des murailles (*Gypsophila muralis* 'Gipsy') (5)
- ♣ Billes d'argile ou tessons de pot
- ♣ 22 litres de terreau universel

Hiver

La plupart des jardiniers sont irrésistiblement attirés par la nouveauté, et pourtant il n'est pas nécessaire d'introduire les toutes dernières variétés pour créer l'attraction. C'est ainsi que cette potée d'hiver ne fait appel qu'à des plantes qui vous sont déjà familières. Il ne s'agit pas là de redites, car elles montrent à chacune de leur apparition une autre facette de leur personnalité dans un cadre toujours changeant.

ÉCRAN DE FEUILLAGE

Il est difficile de trouver de plus séduisants feuillages persistants que ceux de cette immortelle, du cryptoméria et du fusain panaché, qui seront l'âme d'une composition d'hiver. Ils envelopperont les délicats cyclamens de leurs frondaisons protectrices. Une belle touffe de bruyère d'hiver devrait suffire à occuper le devant du vase.

▷ *Avec un peu de chance, on se procurera toutes ces plantes, ou des variétés proches, en jardinerie ou en pépinière.*

△ *Cet ensemble de feuillages contrastés formera le cadre flatteur de cyclamens et de bruyères d'hiver.*

PROGRAMME D'HIVER

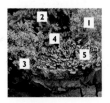

JAN	FÉV	MARS	AVR	MAI	JUIN
JUIL	AOÛT	SEPT	OCT	NOV	DÉC

CE QU'IL VOUS FAUT

- ♣ 1 héllichrysum (*Helichrysum italicum* subsp. *serotinum*) (1)
- ♣ 1 cryptoméria (*Cryptomeria japonica* 'Elegans Compacta' ♀) (2)
- ♣ 1 fusain (*Euonymus fortunei* 'Emerald 'n' Gold' ♀) (3)
- ♣ 2 cyclamens (*Cyclamen coum* ♀) (4)
- ♣ 1 bruyère adulte (*Erica carnea* 'Pink Spangles' ♀) (5)
- ♣ Billes d'argile ou tessons de pot
- ♣ 22 litres de terreau universel

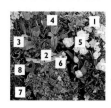

| JAN | FÉV | MARS | **AVR** | **MAI** | JUIN |
| JUIL | AOÛT | SEPT | OCT | NOV | DÉC |

CE QU'IL VOUS FAUT

♣ 10 grandes giroflées en mélange (1)

♣ 6 myosotis bleus nains (2)

♣ 3 pensées d'hiver bicolores bleu et blanc (3)

♣ 10 tulipes hâtives simples (*Tulipa* 'Generaal de Wet') (4)

♣ 10 tulipes hâtives doubles (*Tulipa* 'Schoonoord') (5)

♣ 20 anémones de Caen (*Anemone coronaria*, groupe De Caen) (6)

♣ 1 bugle à feuillage pourpre (*Ajuga reptans* 'Atropurpurea') (7)

♣ 20 muscaris (*Muscari armeniacum* ♀) (8)

♣ Billes d'argile ou tessons de pot

♣ 50 litres de terreau universel

OU BIEN...

Pour réduire l'échelle de la composition, choisissez *Tulipa linifolia* 'Bright Gem', des giroflées naines 'Prince Mixed', des anémones *A. blanda* ♀ et des violettes.

POUR LE LONG TERME

Transplantez en pleine terre tous les bulbes dans un endroit chaud et ensoleillé parmi des euphorbes, un cognassier du Japon (*Chænomeles*), une spirée (*Spiræa japonica* 'Goldflame' ♀) et une hellébore (*Helleborus argutifolius* ♀).

OU ENCORE...

Pour une harmonie colorée plus osée comprenant les flamboyantes tulipes *T.* 'Stresa', voir page 123.

Pots en céramique

Les conteneurs sont bien souvent à leur avantage lorsqu'ils forment un ensemble. Ces pots de céramique mouchetée, garantis contre le gel, sont un bon point de départ pour une collection assortie. Ils seront d'un bel effet sur un sol de gravier. On évitera toutefois les céramiques clinquantes ou aux décors surchargés qui éclipseraient les plantations.

Printemps

Cette association de bulbes de printemps et de plantes à massif n'est pas seulement multicolore, elle capte l'esprit même du jardin fleuri romantique. Caractère, élégance, charme champêtre, parfums assurent le succès de la formule. Les mélanges de couleurs conviennent bien en cette saison, surtout si l'on a su ménager des transitions par des teintes plus douces comme celles des giroflées ou des myosotis qui jurent rarement avec les plantes bulbeuses ou les pensées. Ces potées apparaîtront sous leur meilleur jour contre un écran de feuillages colorés.

MISE EN ŒUVRE

Si l'on plante à l'automne les bulbes et les giroflées en godets de plastique, on pourra sélectionner au printemps les plus beaux plants, notamment ceux des giroflées qui mettront mieux les tulipes en valeur.

On peut préférer une approche plus spontanée, auquel cas on mettra directement en place dans les pots de céramique à l'automne. Les giroflées d'abord, puis les myosotis, les pensées, les anémones, le bugle et les muscaris, enfin les tulipes au milieu. Les tulipes 'Generaal de Wet', au parfum délicieux, sont à la fête avec les giroflées, et les étonnantes 'Schoonoord' se détacheront sur un semis de jaune et de bleu.

Par ordre de taille décroissante

Hauteur	Diamètre
30 cm	33 cm
25 cm	25 cm
23 cm	21,5 cm
19 cm	20 cm
15 cm	15 cm
Poids total 22kg	

△ *Pour changer, limitez la palette au rouge et au blanc en installant un oranger du Mexique (Choisya 'Aztec Pearl' ♀) avec des anémones vermillon (Anemone coronaria 'Hollandia', groupe De Caen) et, sur le devant, des renoncules rouges ébouriffées (Ranunculus asiaticus 'Accolade').*

▷ *Des céramiques assorties offriront les potées idéales pour une composition de bulbes de printemps et de plantes à massif.*

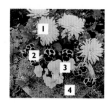
Été

Si l'on associe les dahlias à la seconde moitié de l'été et à l'automne, on risque d'être agacé de les voir s'épanouir en juin et au début de juillet chez le fleuriste. Il s'agit en fait de plantes forcées destinées à promouvoir une nouvelle génération de variétés naines, comme ce charmant dahlia 'München', qui ne dépasse pas 45 cm. Il a été acheté sur une impulsion, parmi un choix de variétés robustes et compactes, mais à grandes fleurs, une bonne occasion pour une potée. Il a pris la place d'honneur dans la plus grande des céramiques, avec des pensées à ses pieds.

FORTES PERSONNALITÉS

Il est parfois tentant d'introduire un élément nouveau et spectaculaire. Les pensées 'Brunig', par exemple, offrent l'un des contrastes les plus incroyables du monde horticole. Elles vibrent au maximum parmi des dahlias jaunes 'München' et des pensées jaune clair. À leurs pieds s'étend un tapis de sagine jaune qui dissimule le bord du pot, et dont l'écheveau soutient les pensées.

Si vous aimez cette palette de couleurs et que vous ne vouliez pas forcer les dahlias nains sous un vitrage, empotez les souches en avril et laissez-les pousser au pied d'un mur chaud. Semez les pensées début mai, car les semis de mars peuvent donner en juillet des plantes trop hautes sur tige. Les variétés particulièrement vulnérables réagissent mal à la chaleur.

OPTION BÉGONIA

Au cas où l'on préférerait une harmonie d'orange, on remplira un pot de bégonias tubéreux 'Non Stop'. On peut acheter séparément les tubercules de variétés à fleurs orangées au printemps. Ajoutez des pensées bleu clair ou jaunes et autant de lobélies que possible. *Lobelia erinus* 'Kathleen Mallard' à fleurs doubles et *Lobelia* 'Azurea' à fleurs simples comptent parmi les variétés les plus remarquables. On fera confiance au tagète 'Starfire' pour agrémenter le bord de la potée.

△ *Encadrant des bégonias à l'orange éclatant, des flots bleus et roses de lobélies apportent à l'ensemble une note de fraîcheur reposante.*

▷ *Les œillets d'Inde donneront son assise à la potée de dahlias et de pensées.*

Automne

Les plantes qui supportent un oubli d'arrosage sont précieuses, surtout aux yeux du jardinier en pots. C'est le cas de la sélaginelle, que l'on peut acheter à l'état de rosette brune desséchée en sac de plastique ou verte en pot. Elle vient bien en été dans un endroit ombragé.

PLANTES D'OMBRE

Les impatiens de Nouvelle-Guinée prospèrent en compagnie de la sélaginelle, tout comme les lobélies ; il suffit de quelques idées d'aménagement pour transformer un coin obscur en attraction. Je pensais que les oiseaux seraient attirés par les soucoupes d'eau garnies de galets, mais ce sont les guêpes qui vinrent s'y rafraîchir. Toutes ces plantes apprécieront une légère aspersion après le coucher du soleil.

◁ *De petits pavés d'argile et des galets entourant les soucoupes des plantes apportent une animation intéressante au pied de cette composition d'automne.*

PROGRAMME D'AUTOMNE

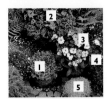

JAN	FÉV	MARS	AVR	MAI	JUIN
JUIL	AOÛT	SEPT	OCT	NOV	DÉC

CE QU'IL VOUS FAUT

- ♣ 4 sélaginelles (*Selaginella lepidophylla*) (1)
- ♣ 3 impatiens de Nouvelle-Guinée à feuillage panaché (*Impatiens* 'Eurema') (2)
- ♣ 1 impatiens de Nouvelle-Guinée à fleurs roses (*Impatiens* 'Maui') (3)
- ♣ 1 *Lobelia* 'Azurea' (4)
- ♣ 1 *Soleirolia soleirolii* 'Variegata' (5)
- ♣ Billes d'argile ou tessons de pot
- ♣ 40 litres de terreau universel

Hiver

Les bosquets de conifères et de bruyères au milieu des pelouses sont un peu dépassés, mais ces arbustes nains seront de bonne compagnie dans des potées d'hiver, notamment les rudes genévriers. Agencés dans les pots, ils formeront des buissons d'où émergeront des plantes de saison telles que le skimmia à baies rouges et le fusain doré mêlés à leurs aiguilles. On peut aussi faire participer à ce paysage hivernal des bruyères de sol acide et des bulbes nains précoces, par exemple *Iris reticulata* ♀ ou des tulipes kaufmanniana, assez hautes pour dominer les arbustes.

À LA SORTIE DE L'HIVER

Pour égayer l'ensemble en février, glissez quelques primevères entre les feuillages. Laissez les fleurs dans les pots où elles ont grandi pour que, en cas de grand froid, on puisse les rentrer et les mettre à l'abri dans une pièce fraîche. Les plantes resteront en bonne santé si l'on coupe les fleurs fanées et les feuilles jaunies avant qu'elles ne viennent se décomposer dans les primevères.

◁ *C'est en hiver que les conifères et les bruyères jouent à plein leur rôle, offrant notamment un cadre parfait aux bulbes de printemps.*

PROGRAMME D'HIVER

JAN	FÉV	MARV	AVR	MAI	JUIN
JUIL	AOÛT	SEPT	OCT	NOV	DÉC

CE QU'IL VOUS FAUT

- ♣ 1 genévrier rampant (*Juniperus squamata* 'Blue Star' ♀) (1)
- ♣ 1 genévrier de Chine (*Juniperus chinensis* 'Variegated Kaizaku') (2)
- ♣ 1 genévrier de Virginie à feuillage gris (*Juniperis virginiana* 'Grey Owl' ♀) (3)
- ♣ 1 genévrier rampant (*Juniperus squamata* 'Blue Carpet') (4)
- ♣ 1 cyprès de Lawson (*Chamæcyparis lawsoniana* 'Tharandtensis Cæsia' ou similaire) (5)
- ♣ 1 bruyère arborescente jaune (*Erica arborea* 'Estrella Gold' ♀) (6)
- ♣ Billes d'argile ou tessons de pot
- ♣ 50 litres de terre de bruyère

JAN	FÉV	MARS	AVR	MAI	JUIN
JUIL	AOÛT	SEPT	OCT	NOV	DÉC

CE QU'IL VOUS FAUT

♣ 10 jacinthes (*Hyacinthus orientalis* 'Blue Jacket' ♉) (1)

♣ 10 tulipes kaufmanniana (*Tulipa* 'Stresa' ♉) (2)

♣ 3 primevères rouge et jaune (*Primula vulgaris*) (3)

♣ 1 pulmonaire bleue (*Pulmonaria* 'Lewis Palmer', syn. 'Highdown' ♉ ou autre) (4)

♣ Film plastique pour tapisser le fond

♣ 18 litres de terreau universel

OU BIEN...

La tulipe 'Cape Cod' est une fleur bicolore, à l'extérieur comme à l'intérieur de la corolle, similaire à 'Stresa', mais un peu plus haute. Toute autre pulmonaire ou jacinthe bleue conviendront également.

POUR LE LONG TERME

Faites succéder aux 'Stresa' les tulipes hâtives doubles 'Fringed Beauty', puis des 'Esperanto' en mai. Après la floraison, laissez jaunir les tulipes en jauge. Puis enlevez le feuillage desséché, entreposez les bulbes dans un filet à grosses mailles dans un abri aéré et frais avant de les replanter à l'automne suivant.

Panières

Des paniers de vannerie doublés de plastique donneront des potées faciles à transformer et à déplacer, par exemple pour garnir un dessus de table. Par leur allure simple et rustique, ces panières se prêteront particulièrement bien à des bouquets de fleurs foisonnants et débordants.

GRANDE PANIÈRE
Hauteur 18 cm
Diamètre 43 cm
Poids 1,5 kg

PETITE PANIÈRE
Hauteur 15 cm
Diamètre 38 cm
Poids 1 kg

Printemps

On dit que la différence entre un bon et un mauvais jardinier tient à deux semaines. Lorsque les jacinthes commencent à s'effondrer faute de soutien, on a le sentiment de les avoir littéralement laissées tomber. Mais tout n'est pas perdu, car, en les inclinant dans la grande panière, elles coulent comme une rivière dont les flots bleus se déverseraient au milieu des flammèches et des braises incandescentes formées par les tulipes et les primevères. Le jardinier chagrin s'en trouvera à la fois réconforté et rafraîchi.

DES TULIPES PAR TOUS LES TEMPS

Il est des tulipes comme *Tulipa tarda* ♉ et *Tulipa humilis* qui ne s'ouvrent qu'au soleil ardent. Mais les 'Stresa', qui affichent leurs couleurs sur les deux faces de leurs pétales, se laissent admirer même par temps gris.

Empotez les tulipes et les jacinthes à l'automne. À la même époque, déterrez une touffe de pulmonaires bleues ou achetez-la en pot au printemps. En mars, mettez les primevères en place et aménagez le panier en incitant chaque variété à se rapprocher de ses voisines.

FLEURS DES CHAMPS

Une composition plus humble fera appel à des plantes poussant à l'état spontané (à droite), telles que la violette (*Viola*), la primevère (*Primula vulgaris*), l'œuf-de-vanneau (*Fritillaria meleagris*), le coucou (*Primula veris*) et l'euphorbe à feuilles pourpres (*Euphorbia*), qui apporteront au jardin le charme des champs, des prés et des talus.

△ *Ces petits arrangements printaniers de fleurs des prés et des champs peuvent être très séduisants.*

◁ *Succès facile lorsqu'on dispose, comme pour cette association de printemps, de plantes d'une telle qualité.*

▷ *Ces tulipes bicolores incendient le cœur de cette composition, que vient rafraîchir le bleu des jacinthes. Adossez ce panier à d'autres potées pour en attiser le feu.*

Été

Toujours rechercher les meilleures variétés d'une sélection donnée : voilà un des principes de jardinage les plus fondamentaux. J'espère qu'une petite graine de cette philosophie a germé dans cette composition d'été, où l'on trouve des annuelles semi-rustiques améliorées, relativement nouvelles.

RELAIS

Commandés sur catalogue, le tabac, les pétunias, et les impatiens sont arrivés par la poste en avril. L'achat de jeunes plants racinés évite d'avoir à maintenir les températures de germination et de croissance nécessaires aux jeunes plants en février et mars, et ces plantes auront probablement un temps d'avance sur celles que l'on aurait semées soi-même. Les variétés plus tardives devraient néanmoins fleurir jusqu'à mi-septembre, alors que les floraisons précoces seront parvenues à leur terme.

TOUT EN ROSE

Fin juillet, les pétunias doubles atteignaient leur pleine floraison, tandis que les épis fournis des amarantes jouaient très bien leur rôle dans cette harmonie tout en rose. Éclaircies, les impatiens ont été réutilisées dans une autre composition.

PLEINE FLORAISON

Incertitudes du temps, maladies et parasites sont autant d'obstacles à la bonne marche des plantations et peuvent perturber un calendrier bien établi de floraisons malgré les soins les plus attentifs du jardinier.

Début juillet, la grande panière déployait tous ses fastes, les pieds de tabac 'Havana Appleblossom' étaient à leur apogée. Cette variété naine donne des fleurs roses délicatement penchées qui se mariaient ici à merveille avec les tons roses et blancs des pétunias doubles et le rouge violacé de 'Red Fox', une variété d'amarante particulièrement sombre. Dès lors, la terre ainsi chargée de racines, il fallut apporter régulièrement de l'engrais liquide pour encourager la croissance des plantes et leur floraison.

LE PRIX DE L'EFFORT

Les deux panières ont été mises à contribution dans cette autre composition d'été (page ci-contre), qui atteignait fin juin le summum de son éclat. Le délicat *Schizanthus* a été acheté. Les grandes campanules et les centaurées ont été semées l'année précédente en pleine terre et transplantées, le *Nemesia strumosa* 'National Ensign' en avril. L'alchémille et les campanules tapissantes ont été prises dans une pépinière en pots.

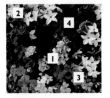
◁ *À mesure qu'une saison avance, les éléments d'une composition peuvent être amenés à changer. Au début du mois de juillet a eu lieu la floraison la plus luxuriante de cet ensemble. Ce fut plus tard le tour des amarantes, comme on peut le voir en haut de cette page.*

◁◁ *Il ne faut pas ménager sa peine pour obtenir des arrangements floraux aussi complexes, mais le résultat dépassera toutes les attentes.*

PROGRAMME D'AUTOMNE

JAN	FÉV	MARS	AVR	MAI	JUIN
JUIL	AOÛT	SEPT	OCT	NOV	DÉC

CE QU'IL VOUS FAUT

♣ 5 amarantes naines (*Amaranthus hypochondriacus* 'Red Fox' ou autre) (1)

♣ 12 célosies (*Celosia spicata* 'Pink Flamingo' ou 'Flamingo Feather') (2)

♣ 2 orpins (*Sedum spectabile* 'Brilliant') (3)

♣ Film plastique pour tapisser le fond

♣ 18 litres de terreau universel

♣ Pommes de pin décoratives

Automne

Si l'on veut changer de décor en août ou en septembre, on peut écarter ou déplacer les plantes de massif de la composition d'été et ne garder que l'amarante. La célosie 'Pink Flamingo' s'est révélée idéale pour composer l'arrière-plan de cet étonnant tableau, sans doute le plus moderne de l'année.

DEMI-TEINTES

Plantez la célosie en demi-cercle autour de l'amarante et, pour dissimuler toutes ces tiges nues, disposez les bouquets d'orpin. Ils auront belle allure avant même l'apparition des boutons floraux et ne manqueront pas, à leur floraison, de s'orner de cette dernière touche naturelle que sont les papillons. Puis, répandez un paillis de pommes de pin en surface.

FLEURS SÉCHÉES

Coupez les fleurs d'amarante et de célosie, séchez-les et accompagnez-les de plus classiques immortelles (*Helichrysum bracteatum*), de graminées ornementales et de statice (*Limonium*) qui composeront un bouquet d'intérieur dont on profitera pendant des mois. Prélevez sur la célosie des graines à planter pour l'année suivante.

△▷ Déterrez les impatiens, les pétunias et le tabac de l'été pour ne laisser que l'amarante, qui deviendra l'âme de la potée d'automne.

▷ Ajoutez au fond de la panière d'automne ces originales célosies obtenues par semis et des orpins sur le devant.

PROGRAMME D'HIVER

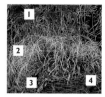

JAN	FÉV	MARS	AVR	MAI	JUIN
JUIL	AOÛT	SEPT	OCT	NOV	DÉC

CE QU'IL VOUS FAUT

♣ 2 orpins (*Sedum* 'Herbstfreude', syn. 'Autumn Joy' ♀) (1)

♣ 2 carex bronze (*Carex comans*) (2)

♣ 1 persicaire (*Polygonum affine* 'Donald Lowndes' ♀) (3)

♣ 1 laîche à feuillage brun (*Uncinia rubra*) (4)

♣ Film plastique pour tapisser le fond

♣ 12 litres de terreau universel

♣ Foin de garniture

Hiver

L'orpin 'Herbstfreude' est une plante de toutes les saisons. Elle commence sa longue et belle vie dès l'apparition au printemps de ses feuilles rondes charnues. Non seulement sa floraison se prolonge longtemps mais ses grandes inflorescences prennent une magnifique teinte rousse. En les voyant dressées en compagnie d'autres plantes fantomatiques de l'hiver, le jardinier aventureux qui voudra profiter de ce spectacle remettra la taille des fleurs fanées au début du printemps. Quant à la laîche à feuillage brun, elle est très appréciée, bien qu'il soit difficile parfois de savoir si elle est bien vivante.

La vannerie brune convient bien à ce type de décor hivernal. Ici, la panière, généreusement garnie de foin, a été juchée sur des branchages devant une haie.

◁ L'humble beauté des orpins roussis dressés parmi les euphorbes et les polygonums décolorés durera tout l'hiver.

▷ Créez le cadre de cette panière d'automne en suspendant à une pergola des pétunias 'Purple Wave' et des impatiens et en introduisant des plantes de saison au fur et à mesure que leurs feuillages se colorent.

Jardinière de fausse pierre

Cette jardinière de béton moulé, plus imposante qu'un modèle de balcon, peut accueillir trois rangs de plantations ainsi que des arbustes nains et des plantations basses saisonnières plus librement disposées. Les fleurs bleues seront les bienvenues dans ce matériau, qui s'accordera par ailleurs aux tons de pierre du sol et des murs ou au gravier. Il faudra deux personnes pour soulever cette pesante jardinière.

Hauteur 23 cm
Largeur 23 cm
Longueur 43 cm
Poids 30 kg

Printemps

Par la grande diversité de couleurs et de formes qu'elles offrent, les primevères se prêtent à toutes sortes d'harmonies. La plupart sont bicolores. Pour accompagner ici des variétés bleues à cœur jaune, le choix s'est porté sur des pensées blanc et bleu à cœur jaune et des muscaris bleus à dents blanches.

Nettoyez les primevères en enlevant toutes les feuilles jaunies ou pourrissantes avant même de commencer la plantation. Il sera beaucoup plus difficile de les atteindre après leur installation. Elles ont été mises en place sur le devant de la jardinière, leurs feuilles recouvrant le bord. Derrière elles, les pensées se mêlent à des muscaris élevés en pots. S'il reste de la place, on peut ajouter de hautes primevères à l'arrière-plan. Enfin, la terre a été recouverte de gravier calcaire, pour le décor et pour écarter les limaces.

△ *Les sélections de primevères sont toujours plus alléchantes. On trouve les hybrides 'Wanda' à feuillage sombre, dont les fleurs unies ont un cœur de couleur contrastée, aussi bien que de grandes fleurs bicolores ou encore des variétés plus nuancées dont le bord des pétales s'éclaircit.*

LE MARCHÉ

Le début du printemps est l'occasion de se mettre en quête de variétés aux couleurs originales. Mais, dans les grandes villes, les jardineries ne proposent en général qu'un choix uniforme et il peut être intéressant d'aller à la rencontre de l'inattendu chez les pépiniéristes de province. C'est ainsi qu'ont été trouvées de grandes primevères aux racines enveloppées de papier journal mouillé.

Ce festival de fleurs roses, jaunes, orangées, bleues et blanc-beige (ci-dessus) offrira aux muscaris des compagnes sortant de l'ordinaire (à gauche). Après la floraison, replantez les primevères en mai et laissez-les se développer pour l'année suivante.

▷ *Les muscaris et les primevères sont de nouveau à la fête dans cette étonnante association de couleurs.*

▷ *Cette association semble idéale dans cette jardinière aux tons ocrés. Mais sans les pensées, à la personnalité si forte, on perdrait à coup sûr la moitié de l'effet.*

Été

Les bégonias tubéreux peuvent être aussi fascinants et raffinés que certains pélargoniums, aussi vaut-il la peine de rechercher des variétés rares et tentantes telles que *Begonia* 'Switzerland', à feuilles foncées et fleurs rouge profond, *Begonia sutherlandii*, tapissant, à petites fleurs orange, ou ce 'Bertinii' aux nuances subtiles. On peut les empoter en mars et les cultiver comme n'importe quelle variété tubéreuse, mais il faudra peut-être les commander sur le catalogue de printemps à un spécialiste des plantes bulbeuses.

Cette harmonie pastel serait facilement rompue par une dominante de couleurs primaires, aussi a-t-on choisi des pensées d'allure proche pour former un couple idéal, tandis qu'à leurs pieds les lobélies sèment leurs taches claires.

▷ *Les bégonias à cœur vif ont plus de caractère que des fleurs doubles ébouriffées et voisinent très bien avec ces insolentes pensées.*

▽ *Si l'on préfère les fleurs simples aux doubles, on recherchera les bégonias Crispa Marginata, dont les fleurs s'accordent à merveille avec les pétunias à pétales veinés ou froncés et avec les dahlias rouges à feuillage foncé tels que les 'Bishop of Llandaff'.*

EN TEMPS ET EN HEURE

On devra cultiver soi-même les bégonias, les pensées et les lobélies, car il est peu probable que l'on trouve de telles variétés en jardinerie. Grâce à un calendrier précis, ces trois plantes se développeront au même rythme et chacune trouvera le rang qui lui aura été réservé dans la jardinière.

Semez tout d'abord la lobélie à la chaleur en février ou début mars, mais sans couvrir les graines ; repiquez par touffes, et non par plantules isolées. En mars, empotez les tubercules de bégonia et semez les pensées. Au début du mois de juin, plantez à l'arrière de la jardinière les bégonias mêlés de pensées, puis garnissez le devant et les côtés de lobélies.

Automne

L'utilisation inventive des plantes est essentielle à la réussite d'une potée. Chaque variété a toujours au moins une âme sœur et l'art de l'horticulture réside bien davantage dans la vision d'ensemble que dans la recherche de la perfection chez telle ou telle espèce.

Il est permis pourtant de se laisser tenter, de temps à autre, par une variété donnée, pour composer un tableau de fête vraiment mémorable. Ce rôle a été donné ici aux reines-marguerites.

LES FEUX DE LA RAMPE

Les reines-marguerites termineront la saison en beauté tandis que les autres annuelles déclineront. On peut acheter en pot les variétés naines en été ou semer les graines en avril ou mai pour une apothéose de fin d'été.

Hiver

Une harmonie en jaune et or s'exprime parfaitement par cette association de narcisses jaunes, d'un petit conifère aux tons « vieil or » et de crocus hybrides 'Yellow Giant', plus proches de l'or que du jaune. Ces variations sur un thème réchaufferont la fin de l'hiver, surtout si l'on y ajoute ces ardentes primevères jaunes à cœur orange.

Les crocus ont été plantés en godets de plastique en novembre, les narcisses 'Jumblie' et les primevères achetés en février.

PROGRAMME D'AUTOMNE

JAN	FÉV	MARS	AVR	MAI	JUIN
JUIL	AOÛT	SEPT	OCT	NOV	DÉC

CE QU'IL VOUS FAUT

- ♣ 10 reines-marguerite 'Teisa Stars' ou variété similaire
- ♣ Billes d'argile ou tessons de pot
- ♣ 13 litres de terreau universel

OU BIEN...

La variété naine très florifère 'Cowet mixed' est une autre reine-marguerite qui a le vent en poupe.

◁ *La variété naine de reine-marguerite 'Teisa Stars' est la meilleure que nous ayons cultivée. On peut la planter seule (comme dans cette jardinière d'automne) ou l'accompagner par exemple de rudbeckias 'Ruby Mixed'.*

PROGRAMME D'HIVER

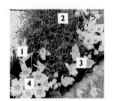

JAN	FÉV	MARS	AVR	MAI	JUIN
JUIL	AOÛT	SEPT	OCT	NOV	DÉC

CE QU'IL VOUS FAUT

- ♣ 12 narcisses 'Jumblie' ou variété similaire (1)
- ♣ 1 *Thuja occidentalis* 'Rheingold' (2)
- ♣ 20 crocus 'Yellow Giant' (3)
- ♣ 2 primevères jaunes à cœur orange (4)
- ♣ Billes d'argile ou tessons de pot
- ♣ 13 litres de terreau universel

◁ *Avec un peu d'organisation, on peut créer cette composition de fin d'hiver en quelques instants.*